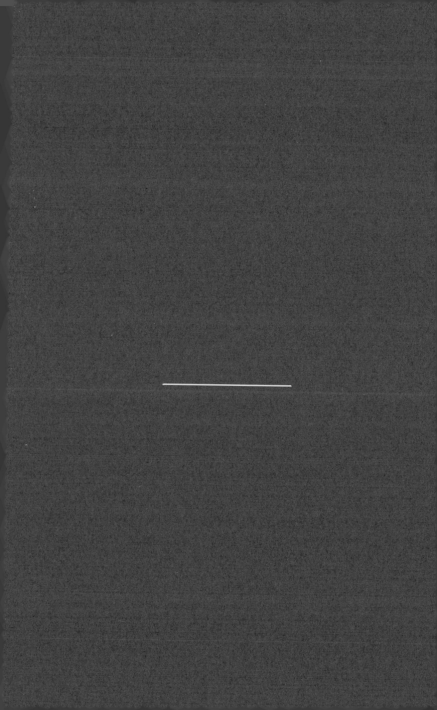

北京瞥見

一九七八〜一九七九年

田中　瑩一

亡き　潘金生先生に

はしがき

私は、一九七八年七月から一九七九年八月まで、北京大学から「日語専家」（日本語教育担当教員）として招聘を受け、北京で暮らした。この時期、日中間の交流は極めて限られていた（日中平和友好条約の調印は一九七八年八月である）うえに、新聞などを通して日本に届けられる情報も、いわゆる「文革（＝一九六六～一九七六年）」収束後の政治的・社会的変化をめぐる話題に偏っていたから、中国の一般の人々の日常はどうか、私が現地で日々をどのように過ごし、何を見、何を感じているか、といったことについて、尋ねられたり、寄稿を求められたりすることがしばしばあった。そのような求めに応ずることを通して私は自分にとって初めての異文化体験を対象化することが出来たように思う。

この書は、私が北京滞在中、あるいは帰国後に、求めに応じて話したり書いたりした素稿の中から、ほぼ半世紀を経た今日の私の関心を手がかりに、何らかの意味で「時代の記録」たり得ているかと思われるものを選んで、幾つかのトピックのもとにまとめてみたものである。

記述には相互に重複や、ずれも認められるが、執筆時の印象を優先し、若干の語句の修正を除いて調整はしなかった。

一九七八～一九七九年前後の中国（略年表）

一九七六年　一月　八日、周恩来　死去。一五日、周恩来　追悼大会。

三月　南京で発生した周総理追悼・「四人組」批判の民衆行動が北京にも及び、追悼詩、花輪などがおびただしく天安門広場の人民英雄記念碑に捧げられる。

四月　四日、清明節（死者を弔う日）を期して天安門広場へ三〇万人あるいは五〇万人とも言われる人々が集結。周恩来追悼と「四人組」批判の民衆行動高まる。

五日夜、広場を包囲した民兵、警官隊が民衆を襲撃。この民衆行動は「反革命運動」として弾圧される（のち四五天安門事件とも、また、第一次天安門事件とも呼ばれる）。鄧小平　責任を問われて職務解任。

七月　六日、朱徳　死去。二八日、唐山大地震。死者二四万人（六〇万人とも）。

九月　九日、毛沢東　死去。

一〇月　六日、「四人組」逮捕。
一九七七年　七月　華国鋒総理　第一副主席就任。鄧小平　職務復帰。
一九七八年　五月　一一日、「光明日報」に毛沢東の無謬性否定論説が掲載される。（＝「実事求是」論）。
八月　一二日、日中平和友好条約調印。
一〇月　以降、四五天安門事件関係者の名誉回復、体制批判、民主化要求の壁新聞相次ぐ（＝「民主の壁」と呼ばれる）。
一一月　一四日、「四五天安門事件」の評価が修正される（＝「四人組」に対する民衆の革命的行動として評価される）。
一二月　中米共同声明（中米国交正常化）。党中央委員会第三回総会 改革・開放路線へ転換決定。
一九七九年　一月　一日、中米国交正常化成る。鄧小平　訪米。
一四日、雲南省の下放青年代表、天安門前で生活回復要求デモ、「反迫害反飢餓」「向郊外向開放」。

二月　中国軍　ベトナムへ侵攻。
三月　北京市　民主化運動抑圧。
二五日、魏京生「民主の壁」の大字報で鄧小平を批判。
二九日、魏京生　逮捕される。
九月「労働に応じた分配」論（＝農民の自留地、副業、商業の公認表明）。
一二月　大平首相　訪中（日中文化交流協定調印。対中経済協力三原則・円借款の供与提示）。
「民主の壁」閉鎖（月壇公園へ移される）。
一九八〇年　一月　鄧小平　中共中央幹部会議で「四つの現代化」講演。
二月　胡耀邦　総書記就任。
八月　華国鋒　首相辞任。趙紫陽　首相就任。
一九八一年　一月　二五日、「四人組」裁判判決。

一九七八～一九七九年
北京瞥見
―目次―

Ⅳ 北京日録抄

Ⅴ 北京回顧摘録

Ⅰ　北京大学日本語科の学生たち

学習と余暇と
「文革」のあとに
結婚披露宴
日常のなかの軍事

学生たちと談笑する著者（1979年7月）

学習と余暇と

日の出前に一校時

北京大学の第一校時は朝七時半に始まる。冬は授業が始まってしばらくしてから、キャンパスの枯れた並木の枝の向こうに赤い朝日が昇って来るのが見えることがあった。こんな話をすると日本の大学生たちは一瞬、時刻を聞き違えたかといった表情をし、「本当ですかあ」と目を丸くする。中国の大学は全寮制をとるのが一般で（最近、若干自宅通学生を募集するようになったが）、北京大学の場合、教職員の宿舎も大部分が大学の構内か、またはその周辺にあったから、この時刻は驚くほどのものではない。学生は朝六時起床、十一時半から午後二時半までの昼食・午睡の時間をはさんで、午前四時間、午後四時間の授業があり、夜十時半の消灯までぎっしりと日課が組まれていた。

薄茶と刺身

私の宿舎は大学の構内にある彼らの寮から、自転車で十五分ほどの距離にあったが、夜、時々学生たちの訪問を受けた。とりとめのない雑談で時を過ごした。ある時、気になって「こんなにして勉強時間をつぶしてもいいの？」と聞くと、「これも私たちの勉強です」という答え。なるほど彼らの日課表によると午後七時から八時までは自由活動、八時から十時までが学習時間である。学生たちはこの時間を利用して私の宿舎に来たのであって、遊びに来たのではないというたてまえであった。その証拠に、同じ顔ぶれが何度も来ることはまれであったし、また全く顔を見せない者もなかった。学生委員かだれかが、外人教師訪問のためのグループづくりとその順番を調整したもののように思われた。私はじゅうたんの上にござを敷き、宿舎の一角を和風にしていたので、学生たちはそこへ日本風に座ることを珍しがった。しかし彼らの正座は一分ともたなかった。薄茶のお手前を披露した時などは、お辞儀をしようとして前へつんのめる学生が何人もあって大笑いになった。茶は草の汁のようだと言い、ほとんど飲み下すことができなかった。この春（一九七九年）「中日友好の船」に乗ってはじめて日本へ行った若い女性通訳が、刺身を飲み込もうとして何度もあげそうになったが、「中日友好の仕事を続けるためにはこれができなければ……」と考えて死ぬ思いで飲み下したと、北京放送の座談会で語っていたことを思い出した。

私が教えたのはいわゆる「労農兵学生（労働者・農民・兵士出身の学生）」、一九七五年と七六年に入学した二学年である。中学（日本の高校相当）を卒業して二〜三年、工場や農村で働き、あるいは軍隊に入り、そこから推薦を受けて大学へ来た学生たちであった。二十二歳から三十歳まで、年齢はさまざまであったが、人柄は皆きわめて素朴、いわゆる「しらけ」を感じたことは一度もなかった。勉強熱心で、大学へ入ってはじめて日本語に接したというのに、日常会話にはほぼ不自由なく、講義の言葉も、私がやたらに挿入の言葉をはさまなければ、日本語でほとんど理解できるようになっていたのには感心した。

私が現地にいる時に入試制度が改まり、北京大学にもはげしい競争によって選ばれた一年生が入学して来た。日本語科に合格した二十五人の学生たちは、一、二の例外を除いてすでに何らかの形で日本語を身につけており、中には外国語大学の日本語科を卒業した再入学者や、日本語の学習歴十年という学生もあって、その学力差に対応することが大学の新しい悩みとなっていた。

春秋に遠足

北京大学の日本語科では春と秋とに遠足があった。学生たちが所属している「共産主義青年団」のレクリエーション活動の一つである。私がいた年は、バスを利用して秋は郊外の名勝「香山」へ紅葉を見に、春は市内の天壇公園へ日中国交回復を記念して日本から贈られた桜の開花を見に行った。クラスの中に某政府機関の幹部の息子がおり、その父の口ききで機関所有のバスを遠足用に借りたと言っていた。私の目には公私混同も甚だしい行為とうつったが、この学生は「困っている時には助け合わねばなりません。互いに機関が融通し合うのは、これは社会主義の優越性の一つです」と説明した。日本に最近時折伝えられる報道の中に、工場長が工場生産のじゅうたんの一部を従業員に分配したとか、機関幹部の家族が公用車で買い物に行ったとか、暴露記事風のものがあるが、私の接した学生たちの言動をもとに想像すると、当事者たちはそれを不正とは感じていないようであった。

受容型の学習習慣

勉強のしかたで日本の大学生と違うと思ったのは、彼らが、教えられたことを忠実に覚えるという形の勉強法をとっていたことである。私の接した外国語学部の学生にとっては、外国語を身につけるためにその方が有効であるという一面もあったろう。しかし、何度か参観の機会があった中国の小、中学校の授業がすべてそうであったから、彼らには、問題を自分たちで見つけたり、図書館を利用して調査したり、友達と共同で研究したりする訓練を受ける機会はあまりなかったと思われる。

大学の図書館も少なくとも去年まではきわめて閉鎖的だった。ある時私が、幾つかの故事成語の用法について日本と中国との比較調査を宿題に出した時、研究室の助手が困った表情でやって来て、「先生のあげられた参考書類は学生には閲覧できないことになっています」と言った。私が「この宿題は参考文献の利用法の訓練をねらっているのだから、なんとか便宜をはかってもらいたい」とねばると、助手は「それでは何とかしてみましょう」と答えたが、結局学生は、教授の名前で書庫から借り出してもらった辞典を一種類見て来ることができただけであった。ただこの傾向はことし（一九七九年）に入ってからかなり変わったようである。同じ宿題に対して、ことしの学生の中には十数種の文献を調査して発表するものがあらわれた。

　教授と学生とのつきあいはかなり密接であった。ことに主任のK先生は学生のことを良く知っていた。某君の家庭は経済的に苦しいとか、某女は成績はいいが学生に人気がないとか、某君は某さんと恋愛中であるとか、某君は去年卒業した某君に彼女を紹介してやった、とかいうような話まで折にふれて私に語った。

　学生は親元から月十元ぐらいの仕送りを受けているのが普通だったが、学費と寮の生活費は無料であった。ちなみに北京市の場合、小学生は一人あたり年五元、中学生は年十元の学費が要った。一元は日本円で約百五十円。大学卒の初任給は四十三元。子どもが三人いる研究室の四十歳代の先生は月給六十八元、大学病院の医師である奥さんも六十八元もらっている。先生は毎月二十元を本代にあてるが、時々それを超えるので奥さんに叱られると言っていた。

「文革」のあとに

メーデー

中国のメーデーには、一般の日本人がクリスマスを楽しむような感じのところがあった。その前日、大学の党支部の副書記Ｍ氏はわれわれ外国人教師を学内の応接棟へ集めて茶をふるまい、当面の中国の政治社会情勢の解説と、やがて迎える五月四日の北京大学開学記念日の意義について語ったあと、「どうかいいメーデーを迎えられますように」とあいさつした。

その日私は迎えの車をことわって大学から宿舎まで街を歩いてみた。ふだんと違って、店には品物が豊富だった。書店で絵本を選んでいる親子もあった。露天には野菜が山積みになり、買い物を競う人でごったがえしていた。私の目の前を走っていた自転車の婦人のビニールの網袋から鶏が一羽ずり落ち、けたたましく鳴いて道を横切って行った。一般の人々が、労働者の祭典ということをどれだけ意識しているかはわからなかったが、街には楽しげな気分が満ちていた。

開学記念日

五月四日の開学記念日は、一九一九年五月四日、北京大学を中心に起こり、やがて全国に広まった革命運動（五四運動）の発動を記念したものである。この日は「青年節」（青年の日）とも呼ばれ、祝日にもなっている（ただし休日ではない）。

M氏は今日の中国が五四運動をどのように意義づけているかということについて詳しく語り、当時北京大学にあってこの運動の指導者となった李大釗、陳独秀、胡適の三人の学者を紹介した。李大釗はマルキシズムを正しくとり入れ、中国共産党の基礎を固めた学者として、陳独秀は後に革命を誤りに導いた裏切り者として、胡適は資本主義の学者として。

「私はきょう、学生たちに言ってやりました。お前たちはこのごろ、民主、民主と叫んでいるが、それならお前たち自身の頭でこの三人の内、どの生き方をとるべきか答えを出してみろ、とね」

M氏の発言が大学人の言葉にしてはいささか図式的で粗っぽく、全面肯定かさもなくば全面否定という態度であることに私は違和感を覚えた。ところが、それからしばらくして五月十一日付の『文匯《わい》報』（上海で発行されている新聞）に、胡適を頭から否定するのは正しくない、五四運動において胡適が果たした役割には高い評価を与えるべきで、ことに彼が主張した科学的な研究方法には学ばねばならぬ、といった趣旨の上海復旦大学の教授の意見が紹介されていた。もしこの教授があの時のM氏の発言を聞いていたらきっと私と同じ感想を持ったろう。思想の解放という点で北京大学は遅れていると評した中国人があったが、これもその一つの表れか、その新聞記事を読みながら私の頭にはこんな感想が駆けめぐった。

ことし（一九七九年）は五四運動六十周年にあたるので、大学は市内にある首都体育館に全教職員・学生

「五四」60周年、北京大学81周年記念大会にて。（1979年5月4日）
前列左から周培源校長、蒋南翔教育部長、方毅副総理。

を集めて盛大な記念式典を開いた。席上、来賓として招かれた蒋南翔教育部長（文部大臣）は、五四運動のころの「民主」は旧世界をこわすためのものであったが、今日の「民主」は新中国を建設するためのものであって、個人の自由放任に走らない社会主義の民主である、という趣旨の演説をした。大学生の間で「民主」の問題が大きな関心を呼ぶ話題となっていることをうかがわせた。式後、プロの歌舞団の公演を鑑賞した。「酒をすすめる歌」というのが流行していて、女性歌手が歌う高音のフレーズに、会場はひときわ湧いた。学生たちはこれをテープに録音し、あくる日開かれた運動会で繰り返し流していた。運動会にはレクリエーション的な種目は一つもなく、正規の陸上競技種目について学部ごと（全学で二十一学部ある）の予選を通過した選手が記録を競う、きわめて競技的なものであった。

五月二十一日、小雨の中を、学生たちは朝三時に起きて近くの農場へ麦刈り（拔麦子《バーマイズ》）に行った。三年前まで続いていた「プロレタリア文化大革命」（以下「文革」）の最中には、このような折は先生も学生と一緒に労働に行くのだと日本にも報道されていたが、ことしは研究室からは代表の先生が一人参加しただけだった。

この日、女性のO先生が問わず語りに思い出を語った。

「文革」中、日本語科の先生たちは南方の農村へ労働に行かされた。住む家を作るところからはじめて、田植えから収穫まですべて教員の手でやった。「今は謹厳なあのS先生も当時は魚捕り専門でした」「はじめて米が穫れた時はうれしくて餅をこしらえてお祝いをしました」「しかし全く勉強どころではなかった。やっと研究生活にもどれた時には五十に手が届くようになっていて、これからどれほどのことができるやら……」

麦刈りが終わって二、三日すると大学の構内のアスファルト通路いっぱいに麦が干された。人も車もその上を平気で踏んで行き来した。ことしはそのころ雨が多く、乾くより先に芽が出るのではないかと気になった。漬け物のような臭いが教室の中までたちこめた。

結婚披露宴

山盛りのアメ玉とひまわりの種

七月十七日、蒙古語科の女性助手Gさんが結婚した。結婚披露宴をキャンパス内の独身女子職員宿舎のテラスでやるという。その日、私はGさんと同じ宿舎に住む日本語科の助手Kさんの部屋で、この夏一緒に採集に行った雲南省傣《タイ》族の民謡を録音テープから翻字する作業をしていたが、「いい機会だ、Kさんと一緒に披露宴に出てくれませんか」と招かれた。

花嫁は白いブラウスに紺のプリーツスカート、それにサンダルをはいている。花聟は軍人。緑の木綿の軍服のズボンに白のYシャツ。裾を腰のバンドの上に垂らし、袖を一回だけ折りあげて立っていた。テーブルの上にはアメ玉とひまわりの種が山のように積みあげられ、新郎新婦はお祝いに来る人ごとに愛想よくそれを配った。今来るのはすべて花嫁の勤め先である北京大学側の知人で、夜、今度は花聟の職場へ行って、そちらの知人を招いて同じことをするという。

宴はいつ始まったというでもなく、皆が陽気にがやがやっている内に一人の男性が参会者の中からある青年を紹介し、この青年が祝辞を述べた（後で聞くとこの青年はウルドゥー語科の助手C氏であった）。結婚おめでとうと言ったあと、「二人は党中央と国家の指導に従っていい生活を送られますように」というようなことを言った。結婚式でも党への忠誠を誓うのかと私が驚いていると、テーブルの奥にいた中年の参会者から大声でやじが飛んで、

「もっとはっきり言ったらどうだ。つまりは子供は一人しか生まないようにと言いたいのだろう」

これで一座は再び笑い崩れてしまった。日本の披露宴のような厳粛さも、しんみりもないかわりに、見栄もたてまえも商魂もない、人間的で友情にあふれた集まりであった。

参会者から二人にプレゼントが渡された。保温ポット二本と、模様つきのガラスコップ三個。司会者が新郎新婦に「だしもの」をするように求めた。それが終わったら参会者もやると言った。二人ははにかんで受けず、夫君の方が「だしもの」の代わりに、と言って簡単なあいさつをした。まわりの者は短かすぎると言って承知せず、二人のなれそめを語れと注文した。

花聟「それは非常に簡単です。ある日偶然二人が道ですれ違っただけのことであります」
司会「それからどうした？」
花嫁「それから彼が私の方に電話をかけて遊びに来たのです」

茶目っ気いっぱいの「だしもの」

参会者が考えた「だしもの」というのは、床に小さな円を描き、「この中に二人で立って握手をしてもらう」というのであった。しかし円は極端に小さく、その中へ入ろうとすれば二人は抱き合うよりほかないと思われた。どうなるかと思って見ていると、二人は賢明にも円の中に互いの片足ずつを入れて握手した。花聟はしきりに照れたが、突然花嫁が何かを言って、握手の手をつき離した。その身ごなしには、二人が長い間親しく交際を続けて来たことを感じさせるものがあった。中国では晩婚が奨励されているのである。

次に司会者はリンゴを糸でつるし、これを新郎新婦に両方からかじらせるということを提案した。会場は沸いた。二人が口を寄せてリンゴにかじりつくと、とたんに司会者は糸をピンと上へはねあげた。リンゴは一口かじられて下に落ちた。かじったのは花嫁の方だった。あとから考えてみると、二人が口を寄せた時にリンゴを上へはねあげて、参会者の前で二人にキスをさせる計画だったのかもしれない。

　このゲームが終わると司会者が何も言わないのに、参会者は次々と席をたって帰りはじめた。二人はまた、せっせとアメ玉とひまわりの種を配り、一人一人に握手をした。一杯のお茶のほか、酒は一滴も出なかった。二人にはまだ宿舎が割り当てられていないので、しばらくは独身女子宿舎の、六畳ほどの広さのGさんの部屋で暮らすという。二人は今夜はここで過ごし、明日、それぞれの田舎の両親のもとへあいさつに行くのだと言っていた。

日常のなかの軍事

戦争と悪

『有吉佐和子の中国リポート』に、「平和利用の美名のもとに、っていうのは中国語にするのは難しいですよ」「何故かしら」「日本人と違って、この国は戦争を悪と見なしていませんからねえ」という、有吉氏と日本人記者との会話が引用されている。私はこの一節を北京にいる時読んで思わず「くすっ」とやってしまった。私もこれには手を焼いた経験があるからである。大学四年生の日本語の教材文として、都留重人氏の「科学と人間の福祉」という文章を採ったところ、その中に「現在の段階で科学者のなし得る最善のことは自分の研究の成果が役に立つことを拒否することである」というくだりがあった。文法的には難解ではないが、その思想が学生たちには難解であった。戦争との結びつきをとりあげて科学を糾弾するという発想は、大部分の学生にとって初めて出合うもののようであった。彼らにとって科学はほぼ全面的に善であり、軍は全く日常性のうちにあると思われた。

大学では九月、新学期開始前の何週間かを軍事教練の期間にあてていた。これまでは学生を短期入隊させていたそうだが、昨年（一九七八年）来、軍から大学へ来て指導するように改められた。構内の並木の下や図書館前の芝生などで、銃を肩にした分列行進や射撃隊形の訓練をよく見かけた。このレベルの訓練はできるだけ人目につく所でしようとしているのではないかと思えるふしがあった。天安門前広場の人民大会堂横の歩道でもよく兵士の訓練を見かけたし、私が暮らした長期滞在者用ホテルに駐とんしていた兵士たちは、毎日、時間になると銃と標的をかついでホテル前の道路工事現場へ行き、工事用の砂や砂利の山に散開して射撃姿勢の訓練をした。砂山では子どもたちが戦争ごっこで遊んでおり、時には本物の兵士と頬をくっつけるようにして本物の機関銃の照準をのぞいていたりした。そんな時、かくべつ子どもたちを追いはらう様子は見えなかった。

私が中国へ着いた翌日、部屋の壁に中国地図を貼ろうとしていると、掃除に来たホテルの服務員がのぞき込んで「ベイファンスーダオ」はどこかと聞いた。私にはその中国語が聞き取れなかった。彼は地図のなかのソ連を指し、「ここがソ連。こっちがあなたの国。北方四島《ベイファンスーダオ》のことで日本はソ連と争っているだろう」と言った（当時の中国で「北方四島」問題がいわゆる「ソ連社会帝国主義批判」の一環としてよく話題となっていたことは後に知った）。私は驚いた。日本にいる間、私はソ連をそのように意識したことはなかったし、北方四島を戦争と結びつけて考えた経験もなかった。私は中国の人々との国際認識の違いを思い知らされ、外国へ来たという感じになった。中国の新聞が、日本の新聞なら扱わないような北方四島返還運動の動きまで克明に伝える傾向を持っていることに私が気付いたのは、それからしばらくたってからである。文芸欄の「現代日本文学紹介」といった記事にも、北方四島問題を素材にした小説がていねいにとりあげられたりしていた。これらの記事は私の眼には何かを煽ろうとしているように思われた。

民話「農夫と蛇」

北京市内のある中学校へ参観に行った時、英語の授業で「農夫と蛇」という中国民話の英訳文をテキストにしているのを見た。冬、農夫が凍えて死にそうな蛇をふところに入れて暖め、助けてやる。蛇は元気をとりもどすと農夫にかみつき、農夫は死んでしまう、という話である。「蛇は人を害するものである。われわれはこのようなものにあわれみをかけるべきではない」と結んであった（この話は小学三年生の国語の教科書にも採られていた）。

私の感覚はこの結びを受け入れなかった。日本ならこのような結び方はしないだろうと思った。私はこの疑問を私の授業に出ていたある女子学生に語った。彼女は私の疑問に答えず、「中国にはそのような民話が多くあります」と言って「東郭《とうかく》先生と狼」という民話のあらすじを語った。東郭先生が、猟師に追われている狼を袋に入れて助けてやる。猟師が立ち去った後、狼を袋から出してやると狼は東郭先生を食おうとする。そこへある老人が通りかかってうまく狼をだまし、再び袋に入れてから東郭先生にこう言った。「狼はやっぱり狼で凶悪な本性は変わるものではない。そんなやつにあわれみなどかけてはいけない」。この話は大学の二年生用の日本語教科書にも採られていた。今思い出してみると、あの学生には私の疑問そのものが伝わらなかったのかもしれない。中国の青少年はこのような物語とその意味づけを繰り返し教わって来ていたのである。中国が「ベトナムに懲罰を加える」と言う場合、底をたどると、あるいは民衆のこのような感覚にまで行きつくのではあるまいか。そうして日本人が、この中国の行動に嫌悪感を抱くのは、われわれがあのような民話の語り方になじむことができないということとつながっているのではあるまいか。

あるいはこれは単に戦争観の違いに止まらない問題かもしれない。山羊の四肢の関節の骨を四箇、サイコロのようにころがして遊ぶ「拐子《グワイズ》」（欻拐《チュワーグワイ》とも）という遊びがあった。肉食民族であることを感じさせた。小学校の休憩時間に、女の子たちが血の色のにじんだような薄赤いその骨を、机の上にカラカラところがし、遊び歌を口ずさみながら熱心にゲームの技を競っていた。私は親しくなった少女から、帰国にあたってその骨を一そろいプレゼントされたが、帰国して、当時小学生であった私の娘に見せると、娘は「きゃあ気持ち悪い」と言って手を触れようとしなかった。

「拐子」で遊ぶ少女（1979 年 7 月）

Ⅱ　北京市「紅民村」の子どもたち

街かどで見た子どもの遊び
団地の庭で子どもと遊ぶ
「集団遊び」の組み分け
子どもの「伝承遊び」

団地の庭で遊ぶ子どもたち（1979年7月）

街かどで見た子どもの遊び

天安門広場で「跳皮筋」

一九七八年七月から一年余り北京に滞在したのを機に、子どもの「遊び」の「参与観察」を試みた。街角で遊ぶ子どもの様子を観察したり、幼稚園や小・中学校に出向いて「遊び」の調査をしたりしたほか、宿舎近くの住宅団地へ通って子どもと一緒に遊びながらの「採集」も行った。また、これだけでは室内で行われている「遊び」の様子が分かりにくいし、「文革」中、あるいはそれ以前の様子も知りたいと考えて、私の講義に出席していた大学生や研究室のタイピストといった人たちからの聞き取り調査も行った。

このようにして私が観察することのできた子どもの「遊び」の種類は百種余り。「鬼遊び」「陣取り」「めんこ」「ビー玉」「釘立て」「ゴム跳び」「縄跳び」「石蹴り」「じゃんけん遊び」「お手合わせ」「絵描き遊び」「言葉遊び」「折り紙遊び」「草木工作遊び」「あや取り」「お手玉」「民話」「わらべ歌」など、大まかな種類分けをしてみると、今日の日本の子どもの遊びのレパートリーはほとんど含まれていると言ってよかった。日本であまり観られず、中国の特色かと思われたのは、「踢包《ティーバオ》」と呼ばれる、お手玉のような小袋を足で蹴って行う一群の「遊び」が多彩に楽しまれていたことである。

ほかに、文献や聞き取りによると「毽子《ジェンズ》」と呼ばれる、羽子《はね》蹴り遊びもあるようだったが、私は観ることができなかった。また、日本と中国と、「遊び」の形は同じでも「遊び」の質や頻度、ルールの特徴などの点ではかなりの違いが認められる。両国の間の遊びの伝播・伝承の問題を考えるためには、それなりの手続きが必要であろうが、当面「遊び」の違いを通して双方の子どもの置かれている状況を考察するためには、手元に蒐集することのできた資料だけからでも幾つかのヒントが得られるように思う。

今日の日本の子どもの「遊び」の問題点としては、活発な身体活動を伴う「遊び」が少なくなっていること、集団の、ことに異年齢集団で行われる「遊び」が少なくなっていること、などが指摘されている。中国の子どもの「遊び」に活発な要素が多いことは「足じゃんけん」が盛んであること一つをとりあげても納得されることだろう。路上でよく見かけた、女の子たちの「ゴム跳び」（北京で「跳皮筋《ティアオピージル》」と呼ばれる遊び。以下「ゴム跳び」）も日本の「ゴム跳び」に比べてはるかに運動量が多かった。ゴム紐の高さを、足、膝、腰、胸……と次第に上げて行って跳び越しを競うルールは日本と同じだが、テンポの速い歌にあわせてチームのメンバーがそろって跳び越えたり移動したりしなければならない点で、中国の子どもの「ゴム跳び」は、日本のそれに比べてはるかに運動量が多い。このため、小学校低学年の子どもは長時間続けることができないし、美しく跳ぶことも至難である。

　私は一九七九年一月一四日、周恩来没後三周年追悼のために天安門広場に集まった少女たちが、解散後あちこちで「ゴム跳び」を始めたのを見かけたが、これは一挙手一投足がみごとにそろって、まるで舞踏団の

周総理没後三周年追悼集会

集会後、天安門広場でゴム跳び
（1979 年 1 月 14 日）

演技を見るように美しいと思った。

異年齢集団の「劇遊び」

異年齢集団での「遊び」の魅力を思い知らされた例としては、「鬼遊び」の一種「老鷹捉小鶏《ラオインジュオシャオジー》（鷹が雛鳥《ひなどり》をさらう）」をあげることができる。私が見たのは五歳児から小学三年生まで八人の男の子の集団の遊びであった。

年長の二人が親鶏《おやどり》と鷹《たか》とになり、他の六人が雛鳥になって遊びが始まった。親鶏は雛鳥たちに「鷹のさそいに乗るな」と言い置いて外出する。そのあとへ鷹が来て雛鳥を一羽連れ去る（次頁写真①）。親鶏は外出から帰ってそのことを知り、他の雛鳥たちの不注意を責めるが、雛鳥たちはいろいろと言いわけをする（写真②）。次にまた親鶏が外出するとまた一羽盗まれる。こうして雛鳥はみな盗まれてしまう。親鶏は鷹の所へ雛鳥を取り返しに行く。鷹は両腕をひろげて取り返されまいとする（写真③）。この部分、日本の「子取ろ鬼」と似ている。取り返すごとに親鶏は、雛鳥たちに、糸繰りの手伝いをして、できあがった糸を売りに行くよう命ずる。助けられた雛鳥たちは並んで糸繰りのしぐさをする（写真④）。雛鳥をみな取り返す

路上の遊び「老鷹抓小鶏」

①鷹が雛鳥を狙う

②
親鶏「雛鶏が一羽いないではないか」
雛鶏「鷹が獲って行った」
親鶏「どうして見張っていなかったのだ」

③鷹は雛鶏を取り返しに来た親鶏を防ぐ

④親鶏は取り返した雛鶏に糸繰りをさせる

⑤親鶏「糸の売上金を出せ」
雛鶏「バナナとリンゴをを買って食べた」

と、親鶏は一人ずつに「糸の売上金を出せ」と言う。雛鳥たちは「途中で落とした」とか「アイスキャンデーを買った」とか、言を左右にしてお金を出さない（写真⑤）。親鶏は怒って、雛鳥を家から追い出す。雛鳥がみな追い出されると再び鷹がひよこを追いかけてつかまえる。

日本でおなじみの「子取ろ鬼」と「つかまえ鬼」が合体したような遊びである。全体として活発な動きに満ち、随所に巧みな生活経験の模倣が見られ、全体として一まとまりの劇を演じていると言ってもいい。年長児のリードにうながされて、五歳の子どもに至るまで、それぞれの役割を演ずるための即興的なせりふを楽しげにこなしているのを見て、私は、日本の子どもたちにもこのような充実感のある遊びを広めたいものだと思った。

私が疑問に思ったのは、このように豊かな子どもの「遊び」について中国の幼児教育の現場ではあまり関心が払われていなかったことである。幼稚園へ子どもの「遊び」を見学に行きたいと申し入れると、事前にこちらの意図を説明しておいたつもりでも、きまって、先生の指導による集団遊戯を見せられてしまうのには閉口した。

団地の庭で子どもと遊ぶ

子どもと遊ぶ

私が一年余りを過した北京友誼賓館の近くに「市政第四公司」という建築資材を扱う会社の従業員宿舎団地があった。五、六棟の平屋の煉瓦造りの長屋が並んでいる中庭で、子どもたちが遊んでいる姿をよく見かけた。私は、そのうち言葉に馴れたらあの子たちと仲良しになって、「遊び」の調査をしたり、できればその家族とも交わって民話の採集も試みたいと考えていた。

ところが私の会話の学習が少しずつ進み始めた頃、北京はきびしい冬を迎えた。冬でも子どもたちは外遊びをしないわけではない。女の子は「ゴム跳び」や「踢包《ティーバオ》」を、男の子は「攻城《ゴンチョン》」（陣取り）や「打面包《ダーミエンバオ》」（メンコ）を、やはりあの中庭でよくやっていた。しかし彼等の遊びの中へ割り込んで聞き書きを行うには、零下十度という環境はあまり適当でない。私は春になるのを待つことにした。
北京の春は美しい。緑の葉の一枚もないところへ、迎春花、連翹、木蓮、菫、花大根、梅、桃……と、短い期間に、よく咲く順序を間違えないものだと思うほど、あざやかな花々が競って、秩序正しく咲いていった。私は原則として日曜日の午後を遊び調査の時間とし、子ども訪問をくり返した。

たとえば小学四年の劉光徳は絵描き遊びを教えてくれた。

今日のテストは　たったの二点　　今天考试得了两分
母さん　ギョロリと目をむくし　　媽々　瞪了我一眼
父さん　三発ペンペンペンペン　　爸々　给我三巴掌
婆さん　蹴りを入れてくる　　奶々　踢了我一脚
ぼくは　口を尖らせて　　我　一嘴噘
小さなあひるになりました　　变了小鸭子

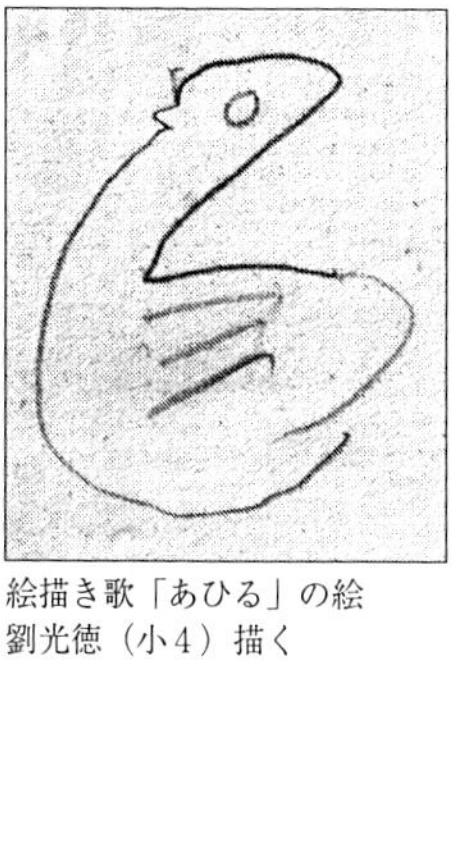
絵描き歌「あひる」の絵
劉光徳（小4）描く

「2ちゃんが／三円もらって／豆買って／お口とんがらかして／あひるの子」

とやる日本の歌詞にくらべて、なんと現実的な歌詞であることか。一緒にのぞき込んでいた通りがかりの男性が、「成績の悪い子のことをあひると言うんだ。いつもテストに二点ぐらいしかとれない奴のことさ」と言った。「昔、日本では、成績を甲乙丙、でつけていて、その乙のことをあひると言うことがあった」と私が言うと、男性はしきりにうなずいて立ち去った。

民話を語る

ある日、石蹴りや陣取りの遊びが一通り終わって、皆で壁にもたれて雑談をしているとき、私は子どもたちに「民話を知っているかい」と聞いてみた。小学三年の李忠が語り出した。

昔、一人の女がいました。女は子どもを産みました。

その子が大きくなってから、女はその子に針を買いに行かせました。帰り道、子どもは籠にたくさん飴を入れてやって来る友達に会いました。子どもは真似て、針を籠に入れて帰って来ました。家へ着いてから針を探しましたが針はどこにもありません。お母さんは言いました。

「針を買って帰る時には袖口にとめて帰るものだ」

それからお母さんは、その子にバターを買いに行かせました。子どもはバターを袖口に塗って帰って来ました。バターはすっかり溶けていました。お母さんは言いました。

「バターは缶に入れて帰るものだ」

それからお母さんはその子に、隣のうちへ小犬を貰いに行かせました。子どもは小犬を缶に入れて帰って来ました。お母さんが缶を開けると、小犬はいきなり吠えてお母さんに飛びかかりました。お母さんは言いました。

「犬は首に縄をつけて連れ帰るものだ」

それからお母さんは、又、その子に肉を買いに行かせました。肉を買うと子どもは肉を縄でぶらさげて帰って来ました。途中、一匹の犬に出会い、肉を食べられてしまいました。

お母さんは
「これからはお前にはもう何も頼まない」と言って怒りました。

「大傻瓜《ダーシャーグワ》（おろか者）」というお話だと李忠は言った。平素口数の少ないこの少年がこんなに長い民話を語って仲間を笑わせたことにも驚いたが、日本で語られている累積譚「おろか者話」そっくりの民話を北京の子どもから聞くことができたのは嬉しかった。

私の講義に出席していた、北京大学生の邵忠は、通訳を兼ねてしばしば私の調査に同行してくれたが、李少年の語りに誘い出されるようにして、こんな民話を語ってくれた。

　昔々、ある所に山がありました。山の上に洞穴がありました。洞穴にはたくさんの狼が住んでおりました。ある日一匹の狼が言いました。

「今日は誰が話をする番だい？」

一匹の狼が言いました。

「よし、今日は私が話をしてやろう」

昔々、ある所に山がありました。山の上に洞穴がありました。洞穴にはたくさんの狼が住んでおりました。ある日一匹の狼が言いました。

「今日は誰が話をする番だい？」

一匹の狼が言いました。

「よし、今日は私が話をしてやろう」

昔々、ある所に山がありました。山の上に洞穴が……


皆はころころ笑いころげ、邵君自身も笑い過ぎて話が続けられなくなった。笑いが収まると、邵君はこの話をすると自分の叔父さんのことを思い出すと言い、「叔父は民話を語り始める前によくこの話をやりました」と言った。私は興奮した。この種のいわゆる「形式譚」が、民話が語られる際に、語り始めや、語り終わりなど、一定の位置を占めて語られる性格を持っていることは日本の民話の語りの場でも見られることだからである。それに邵君の語りはまことにリズミカルであった。中国語の、

「山上有个洞《シャンシャンヨウゴドン》　洞里《ドンリー》　住着《ジュージョ》　很多《ヘンドゥオ》　狼《ラン》」

（山の上に洞穴がありました。洞穴には たくさんの狼が住んでおりました）

というリズミカルなくり返しは、今も私の耳に残っている。私はお返しに、その場で日本の果てなし話「千石船の蛙」を語った。聴き終わると邵君は中国にも同じ話があると言って、又、

次の話をした。

中国の東北地方に大きな食べもの倉がありました。倉の中には食べものがいっぱい詰まっていました。ある日、二匹の鼠がこれを見つけて、倉の壁に穴を開け、食べものを盗みに入りました。一匹は紅い鼠、もう一匹は白い鼠でした。白い鼠が入りました。紅い鼠が出て来ました。白い鼠が入りました。紅い鼠が出て来ました。白い鼠が……

「白老鼠進《バイラオシュージン》、紅老鼠出《ホンラオシューチュー》（白い鼠が入りました／紅い鼠が出て来ました）」という一節を邵君は歌うようにくり返した。

団地の子どもたちと遊ぶようになって六週目、私は最後の訪問に出かけた。子どもたちの様子がどこか違う。劉光徳がビニールの袋から何やら取り出して地面に並べはじめた。今の（一九七九年当時の）中国ではビニール袋は貴重品である。見ると、建築用品のカタログを利用してこしらえた折り紙であった。「袴」「船」「風船」「鶴」等々、数十点。皆で私のために折っ

てくれたのだと言う。前の日曜日、私が「間もなく帰国するから
あと一回、次の日曜で終りだ。知っている遊びをみんな教えてくれ」

と言っておいたので、子どもたち皆で用意していたのである。

「送給您《ソンゲイニン》（おじさんにあげる）」

と劉君は言い、別に掌中型の新品の手帳をさし出した。「これは僕から」というのであろう、扉に

中日友好万古長青
送　日本叔叔留念　　中国北京小朋友　　劉光徳
中国と日本との友好は永遠に変わらない
記念に日本のおじさんに送る　　中国北京の幼き友　劉光徳

紅民村の子どもたちの折り紙

とあった。これを見ていたゴム跳びの名手、小学二年の冉《ゼン》瑞宝が家へかけ込み、すぐに又飛び出して来て、自分の使っていたゴムひもを、砂をはらいながら無言で私にさし出した。私はこみあげるものを感じた。

私は、この日に撮った子どもたちの集合写真を北京を発つ前日の夕刻、子どもたちに届けに行った。

「紅民村」の子どもたちと　中央は著者　後列右は同行の北京大学生劉彤さん（1979年7月）

「集団遊び」の組み分け

子どもたちは、「集団遊び」の組み分けをする時に三つの方法を用いていた。一つは日本で「とり」と呼ばれるやり方と同じ方法である。はじめに二人の子どもが「親」になり、足じゃんけんをする。

包子剪子《バオズジエンズ》　錘錘錘《チュイチュイチュイ》　　剪子包子《ジエンズバオズ》　錘錘錘《チュイチュイチュイ》

（紙と鋏で じゃんけんぽん　　鋏と紙で じゃんけんぽん）

歌いながらぴょんぴょん跳び、句の終りに跳び降りた両足の踏み姿でグー（錘《チュイ》＝両足を揃える）、チョキ（剪子《ジエンズ》＝両足を前後に開く）、パー（包子《バオズ》＝両足を左右に開く）を示す。

足じゃんけんで遊ぶ子どもたち

路上で

幼稚園で

勝った子が皆の中から一人を選ぶ。次に、負けた子が先の子につり合うように別の一人を選ぶ。終ると再び「親」が足じゃんけんをして次の子を選んでいくという方法である。

「親には一番強い子がなるの？」と聞いたら、大体同じぐらいの実力の子なら弱い子でも誰でもいいと言っていた。この方法でやると二つの組の力がほぼ均衡し、集団の遊びが充実するという利点があるのであろう、「攻城《ゴンチョン》」と呼ばれる陣取りや、「邁歩《マイブー》」と呼ばれる、歩幅を競って行う「鬼遊び」などの組分けに使われていた。

指名を受けた子が嬉しそうにその組に入っていく様子や、いつまでも指名されない子が不安げにひっそりと待っている様子など日本と同じで、私は、昔、自分がいつもビリの方に呼ばれる子どもの一人であったことなどをほろにがく思い出した。帰国して当時小学四年生であった私の娘に、今も「とり」で組み分けをするのかと聞くと、「する」と言い「〇〇ちゃんは最後まで残って泣いたことがある」と言った。

もう一つは、日本で言えば「グーとパーで組み、しましょ」とか「石無しじゃんけんぽん」などととなえながらじゃんけんをし、二種のサインたとえば「石無しじゃんけん」の場合は、「紙」と「鋏」が同数になったところで二組に分かれるやり方と似た方法である。北京の子どもたちは「手の甲」と「掌」で分けていた。

六人が二組に分かれる時には「三人《サンレン》　一家《イージア》」と言って手を出す。手の甲を上にして出した子が三人、掌を上にして出した子が三人になった時、組み分けが成立する。八人なら「四人《スーレン》一家《イージア》」と言うのである。偶然に頼って人数を平等に分ける方法である。女の子たちがよく遊んでいた「跳皮筋《ティアオピージル》」と呼ばれる「ゴム跳び」や、「踢包《ティーバオ》」と呼ばれる、お手玉様の小袋を用いた「足蹴り遊び」などの組み分けに用いられていた。
私が面白いと思った組分け法は「一網不撈魚《イーワンプーラオユー》」という方法であった。年長の子が二人、「親」になって、もの陰で何やらひそひそ相談をした後、向かい合って立ち、肩より上で両手をつないでトンネルを作る。他の子は一列になってその下をくぐる。「親」の二人は次の歌を歌う。

一網　不撈　魚　　　　一の網では　魚は　獲れぬ
二網　不撈　魚　　　　二の網では　魚は　獲れぬ
三網　撈个　小尾巴　　三の網で　小さな　小さな
　尾巴　尾巴　尾巴　　………小さな　小さな……
　　……魚　　　　　　　……魚を獲った

「尾巴《ウェイバ》　尾巴《ウェイバ》　尾巴《ウェイバ》……」を何度かくり返し、最後の「魚」で「親」がトンネルの腕をおろすと一人の子どもがはさまれる。二人はその子に、たとえば「飛行機がいいか自動車がいいか」と尋ねる。先ほどのひそひそ話は、一方の「親」のチームを飛行機、他を自動車とする打ち合わせだったのだ。「飛行機」と答えるとその子は飛行機のチームに組み入れられる。次に「親」は再びもの陰へ行って相談し、また同様にトンネルを作って歌を歌う。次の「小魚」にはたとえば「大砲がいいか戦車がいいか」と聞く。「戦車」と答えるとその「親」の組に入れられる、といったルールである。

この分け方では組は人数の上でも力の上でもアンバランスになる。たまたま均衡することもあるけれども、そもそも均衡を念頭に置かない分け方である。私ははじめ、これが組分けだとは気づかなかった。その日、上は小学三年生から下は五歳まで、合計十一人の男の子がこの方法で七人と四人に分かれて「抜河《バーホー》」という遊びをした。二人が足を踏んばって互いの片手を握り合う。もう一方の手をそれぞれの組の他の一人が握る。その子のもう一方の手を次の子が握る。こうして次々と手を握り合い、言わば手をつないでする綱引きとでもいうべき「遊び」が

一網不撈魚

行われた。そうして驚いたことに、この「抜河《バーホー》」は四人の方のチームが勝ったのである。私は異年齢集団で行われる遊びのダイナミックスといったものを見る思いがした。

子どもの「伝承遊び」

ここで子どもの「伝承遊び」とは、一定の型があり（たとえば石投げや木登り等には型が認められない）、様々な変容を見せながらもその型が伝播し、伝承されていることが認められる、またはそのように考えられる「遊び」のことである。私が北京の街かどで採集することのできた「遊び」と同じ型のものが、現地の成人のインフォーマントによって、子どもの頃の遊びの記憶として語られた場合や、中国各地域から来ていた大学生のインフォーマントによってそれぞれの地方の子どもの「遊び」として紹介された場合、あるいは文献の記述や、日本の子どもの「遊び」との比較等によってそれぞれの「遊び」が伝承性を持つものかどうかを推定した。以下にその事例をあげる（歌詞の漢字表記はインフォーマントが成人の場合は当人に、子どもの場合は調査に同行した大学生による）。

1　ことば遊び

囃しことば

集団の中で特定の個人又は集団を揶揄する時に唱えられるきまりことば。日本には「弱虫毛虫はさんで捨てろ」などがある。

叫你唱《ジアオニーチャン》　你就唱《ニージウチャン》　歌いなさいったら歌いなさい
扭々《ニウニウ》　捏々《ニエニエ》　不象样《ブーシアンヤン》　ぐずぐずしてるの　みっともないよ

〈大学生　男・女〉

私が学科の遠足に同行したとき、貸切りバスの中で学生たちが順番に歌を歌うことになったが、順番が来てもなかなか歌が出ない者に向かって、皆でこの「囃しことば」をとなえながら囃したてた。子ども集団からの採集例ではないが、子どもの頃にも言っていたとのことであった。

早口ことば

発音が難しかったり、近似音が重なっていたり、意味上のつながりが入り組んだりしていて、早口では言いにくい決まりことば。中国語では「繞口令《ラオコウリン》」とか「拗口令《アオコウリン》」と呼んでいた。日本では「生麦生米生卵」などがある。

例① 班幹部《バンガンブー》　管《グアン》班幹部　班長が班長に指図する
〈大学事務職員　女〉

例② 房上《ファンシャン》　吊刀《ディアオダオ》　刀倒吊《ダオダオディアオ》　着《ジョー》
部屋に刀が吊ってある　刀は逆さに吊ってある
〈大学事務職員　女〉

例③ 紅鳳凰《ホンフォンホアン》　粉鳳凰《フェンフォンホアン》　紅い鳳凰　白い鳳凰
紅粉鳳凰《ホンフェンフォンホアン》　粉紅鳳凰《フェンホンフォンホアン》　紅と白とのまだらの鳳凰　白と紅とのまだらの鳳凰
〈大学事務職員　女〉

例④　大花碗里《ダーホワワンリー》　大きなまだら模様のお碗が

扣着箇大花活蛤蟆《コウジョゴダーホワフォハーマ》　大きなまだら模様の　活きたヒキガエルにかぶせてある

〈大学事務職員　女〉

例⑤　吃葡萄《チープータオ》　不吐葡萄皮《ブートゥープータオピー》　葡萄を食べて　葡萄の皮を吐き出さず

不吃葡萄《ブーチープータオ》　倒吐葡萄皮《ダオトゥープータオピー》　葡萄を食べてもいないのに　葡萄の皮を吐き出した

〈大学生　男・女〉

例⑥　高《ガオ》々山上　一朶藤《イードゥオトン》　藤朶頭上《トンドゥオトウシャン》　掛銅鈴《グワドンリン》

風吹藤動《フォンチュイトンドン》　銅鈴動《ドンリンドン》　風停藤停《フォンティントンティン》　銅鈴　停《ドンリンティン》

高いお山の藤の花　藤のほとりの銅の鈴

風が吹き藤の花房揺れている　銅の鈴も揺れている

風が止み藤の花房動かない　銅の鈴も動かない　〈小学生　男・女〉

例⑦

小華《シアオホワ》 和《ホー》 胖娃《パンワー》　両人《リアンレン》 種花《ジヨンホワ》　又《ヨウ》 種瓜《ジヨングワ》
小華《シアオホワ》 会《ホゥイ》 種花《ジヨンホワ》　不会《ブーホゥイ》 種瓜《ジヨングア》
胖娃《パンワー》 会《ホゥイ》 種瓜《ジヨングワ》　不会《ブーホゥイ》 種花《ジヨンホワ》

小華と胖娃と二人が花を植えました　それから瓜も植えました
小華の方は　花は付いたが瓜はだめ
胖娃の方は　瓜は付いたが花はだめ

〈大学生事務職員　女〉

例⑧

華華《ホワホワ》 有《ヨウ》 両朶黄花《リアンドゥオホアンホワ》　紅紅《ホンホン》 有《ヨウ》 両朶《リアンドゥオ》 紅花《ホンホワ》
華華《ホワホワ》 要《ヤオ》 紅花《ホンホワ》　紅紅《ホンホン》 要《ヤオ》 黄花《ホアンホワ》
華華《ホワホワ》 送給《ソンゲイ》 紅紅《ホンホン》 一朶《イードゥオ》 黄花《ホアンホワ》
紅紅《ホンホン》 送給《ソンゲイ》 華華《ホワホワ》 一朶《イードゥオ》 紅花《ホンホワ》

華華は黄花を二つ持っていた　紅紅は紅花二つ持っていた
華華は紅い花が欲しかった　紅紅は黄色い花が欲しかった
華華は紅紅に黄花を一つあげました　紅紅は華華に紅花一つあげました

〈大学事務職員　女〉

例⑨

路東《ルードン》　住着《ジュージョ》　劉小柳《リウシアオリウ》
路南《ルーナン》　住着《ジュージョ》　牛小妞《ニウシアオニウ》
劉小柳《リウシアオリウ》　拿着《ナージョ》　四箇《スーゴ》　大皮球《ダーピーチウ》
牛小妞《ニウシアオニウ》　抱着《バオジョ》　六箇《リウゴ》　大石榴《ダーシーリウ》
劉小柳《リウシアオリウ》　把《バー》　四箇《スーゴ》　大皮球《ダーピーチウ》　送給《ソンゲイ》　牛小妞《ニウシアオニウ》
牛小妞《ニウシアオニウ》　把《バー》　六箇《リウゴ》　大石榴《ダーシーリウ》　送給《ソンゲイ》　劉小柳《リウシアオリウ》

街の東に　劉小柳が住んでいた
街の南に　牛小妞が住んでいた
劉小柳は　手まりを　四つ　持っていた
牛小妞は　柘榴を　六つ　持っていた
劉小柳は　手まりを　四つ　牛小妞にあげました
牛小妞は　柘榴を　六つ　劉小柳にあげました

〈大学事務職員　女〉

例⑩

天上《ティエンシャン》　七顆星《チーコーシン》　樹上《シューシャン》　七只鷹《チージーイン》　墻上《チアンシャン》　七只釘《チージーディン》
台上《タイシャン》　七盞灯《チージャンドン》　地　上《ディーシャン》　七块氷《チークワイビン》
一脚《イージアオ》　踩了氷《ツアイラビン》　拿扇《ナーシャン》　搧了灯《シャンラドン》　用手抜了　釘《ヨンショウバーラディン》
挙槍《ジューチアン》　打了鷹《ダーライン》　烏雲《ウーユン》　蓋了星《ガイラシン》

空に七つの星が出て　梢に七羽の鷹がいて　壁に七つの釘が有り
台の上には七つの灯り　地には七つの氷のかけら
脚で氷を踏み砕き　扇で灯りを煽ぎ消し　手で釘を引き抜いて
鉄砲で　鷹を打ちました　黒雲が星をすっかり消しました

〈大学事務職員　女〉

逆さことば

意味上相互に矛盾があったり、ナンセンスな内容を、口調良く言い立てる決まりことば。中国語で「反語」あるいは「相反歌謡」と呼んでいた。日本では「錆びた刀をぎらぎらと、曲がった道をまっすぐに……」などの例がある。

例①

東西路《ドンシールー》　南北走《ナンベイゾウ》　十字路上《シーズールーシャン》　人咬狗《レンヤオゴウ》
拿起狗来《ナーチーゴウライ》　打石頭《ダーシートウ》　倒叫石頭《ダオジアオシートウ》　咬着 手《ヤオジョショウ》

東西に通ずる路を南北に歩いて行くと
十字路で　人が犬に咬《か》みついた
犬を拾って石に投げたら　反対に　石が吠えたて手に咬《か》みついた

〈大学事務職員　女〉

例②

吃牛奶《チーニウナイ》　喝面包《ホーミエンバオ》　挟着《シエジョ》　火車《フオチョー》　上皮包《シャンピーバオ》
下了皮包《シアラピーバオ》　往家走《ワンジアゾウ》
路上遇到《ルーシャンユーダオ》　人咬狗《レンヤオゴウ》　拿起狗来《ナーチーゴウライ》　打石頭《ダーシートウ》
倒叫石頭《ダオジアオシートウ》　咬了 手《ヤオラショウ》

牛乳食べて　パンを飲み　汽車を抱えて　鞄に乗って
鞄を降りて　家へと向かう
その途中　人が犬に咬《か》みついた　犬を拾って石に投げたら

反対に　石に手を咬《か》まれた　〈大学事務職員　女〉

尻取りことば

二人以上で次々と、思いついた単語を出し合って遊ぶ「尻取り遊び」（不定型）とは別に、日本の「文字鎖」や「口合段々」のように一定の形式に従った尻取りの慣用ことば。（次例は前句の末尾と同音で始まる句で承けている）。訳文は省略した。

一个小孩写大字《イーゴシアオハイシエダーズー》　写写写不了《シエシエシエブーリアオ》　「（別例）有个小孩上学遅到了《ヨウゴシアオハイシャンシュエチーダオラ》　跑跑跑不了《パオパオパオブーリアオ》」
了了了不起《リアオリアオリアオブーチー》　起起起不来《チーチーチーブーライ》　来来来不学《ライライライブーシュエ》　学学学文化《シュエシュエシュエウェンホワ》　画画画図画《ホワホワホワトゥーホワ》
図図図書館《トゥートゥートゥーシューグワン》　管管管不着《グワングワングワンブージャオ》　着着着不火《ジャオジャオジャオブーフオ》　火火火車頭《フオフオフオチョートウ》　頭頭大鋳頭《トウトウダーチュートウ》

〈大学生　小学生　幼稚園児　男・女〉

2　絵描き遊び

丁《ディン》爺さんがおりました

有《ヨウ》一《イー》个《ゴ》丁《ディン》老《ラオ》頭《トウ》
借《ジェ》我《ウオ》一《イー》个《ゴ》大《ダー》餅《ビン》
和《ホー》両《リアン》个《ゴ》鶏《ジー》蛋《ダン》
一《イー》共《ゴン》花《ホワ》了《ラ》三《サン》毛《マオ》三《サン》
我《ウオ》説《シュオ》三《サン》天《ティエン》還《ホワン》
他《ター》説《シュオ》四《スー》天《ティエン》還《ホワン》
你《ニー》説《シュオ》这《ジョー》老《ラオ》頭《トウ》
貪《タン》銭《チエン》不《ブー》貪《タン》銭《チエン》

丁《ディン》爺さんがおりました
大餅一箇を借りてった
卵も二つ借りてった
みんなで三十三銭だ
三日目までには返せと言うと
四日目までには返すと言った
この爺さん
なんて欲張りなんでしょう

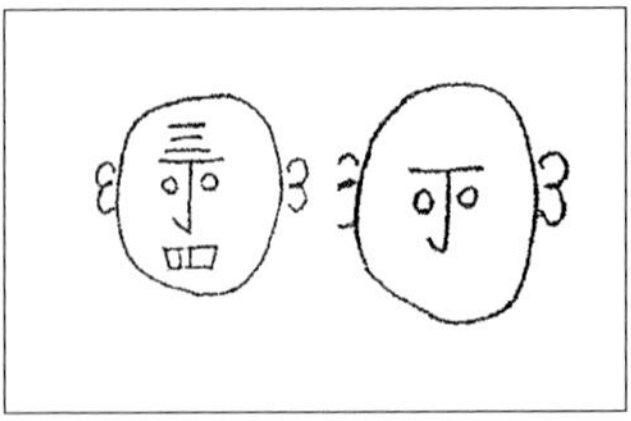

T爺さん

（または）［你説这老頭坏不坏＝この爺さん　なんてへそ曲がりなんでしょう］

〈中学生　男〉

六十六の爺さんが

一袋米放在盤子《イーダイミーファンザイバンズー》里《リー》
誰《シェイ》 偸了《トウラ》 这《ジョー》 袋米《ダイミー》？
六十六歳《リウシーリウスイ》的《ダ》爸々《バーバ》
偸了《トウラ》 这《ジョー》 袋米《ダイミー》
賠了《ペイラ》三《サン》块《クワイ》 銭《チィエン》
气的《チーダ》六十六《リウシーリウ》的《ダ》爸々《バーバ》
多長了《ドゥオジャンラ》 一《イー》 条《ティアオ》 腿《トゥイ》

米袋　お皿の上に置いといた
誰だ　その米袋を盗んだ奴は？
六十六のお爺さん
その米袋を盗んでた
罰金とられて三円弁償
しょげて落ち込む六十六のお爺さん
足が一本伸びてきた

〈大学事務職員女〉

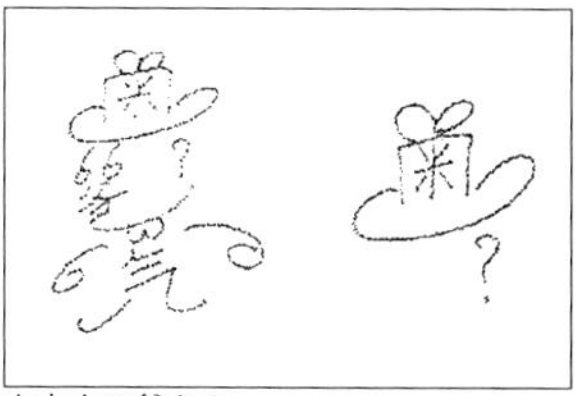

六十六の爺さん

3　指・手遊び

お手合わせ

Pia ji Pia ji Pia　たんとんたんとんたん
拝个大馬趴《パイゴダーマーパー》　すってんころりんとん
得了《ドーラ》 Pia ji 病《ビン》　たんとん 病気になりました
請了《チンラ》 Pia ji 医生来看病《イーションライカンビン》　たんとん 先生に診て貰い
打了《ダーラ》 Pia ji 針《ジェン》　たんとん 注射をうちました
〈大学生　男・女〉

お手合わせをしながら歌い進み、最終句「針」でにらめっこに入る遊びである。

お手合わせ

猜猜猜

猜猜猜　兵板兒 兵板兒　兵兵 板児 板児
上上 下下　左左 右右　前前 后后　咕嚕咕嚕　錘
咕嚕咕嚕　叉　咕嚕咕嚕　一个　咕嚕咕嚕　仨
不打倒美帝　不回家［（別例）抗美援朝／打到美帝］［再回家］（ルビ省略）〈小学生　女〉

じゃんけんぽん ピンパンピンパン ピンピンパンパン
上上下下 左に右に 前前うしろ グルグルグー
グルグルチョキ グルグルひとつ グルグル三
アメリカ撃つまで帰らない［（別例）アメリカやっつけ朝鮮援け それから帰る］

お手合わせから、じゃんけんに移る遊びである。

二人で向かい合って立つ。「猜猜猜《ツァイツァイツァイ》」は、はじめの掛け声。「兵《ピン》」で互いの右掌、「板児《バル》」で各自の両掌、次の「兵」で互いの左掌、「板児」で各自の両掌を合わせ打つ。「兵兵《ピンピン》」で互いの両掌を、「板児板児《バルバル》」で互いの両手の甲を、二回ずつ続けて合わせ打つ。「上上《シャンシャン》」では各自の両掌を頭の上で、「下下《シアシア》」では膝の前、「左左《ズオズオ》」では顔の左、「右右《ヨウヨウ》」では顔の右、「前前《チエンチエン》」では胸の前、「后后《ホウホウ》」では背後で、それぞれ二回合わせ打つ。「咕嚕咕嚕《グルグル》」で各自の両手のこぶしを、糸巻き遊びのようにグルグル回し、「錘《チュイ》」でグーを出す。再びこぶしを回して「叉《チャー》」でチョキ、「一个《イーゴ》」で人さし指一本、「仨《サン》」で人さし指、中指、薬指の三本を出す。「不打到美帝《ブーダーダオメイディー》」では両手を背後に隠し、「不回家《ブーフイジア》」でじゃんけんをする。

［　］内は大学に事務職員として勤務しておられた女性（二十四歳）からの聞き取りである。一九五〇年から五三年にかけての朝鮮戦争出兵時の「抗美《カンメイ》（米）援朝《ユエンチャオ》」のスローガンが歌い込まれている。当時は勢いのある行進曲が作曲され、胡同の奥で遊ぶ幼児までその歌を口ずさんでいたという。この部分を「準備打蔣賊《ジュンベイダージアンゼイ》、石頭剪子布《シートウジエンズブー》」（蔣介石めをやっつけよう、じゃんけんぽん）とする文献もある。一九五〇年よりさらに一時代前のものであろう。一九七九年の北京の子どもたちからは「蔣賊」も「抗美援朝」も聞かれなかった。また「不打倒美帝」も「美帝(meidi)」を「美麗(meili)」と発音しているようで（方言音か）、子どもたちにその句の意味を聞いても「知らない」というばかりであった。なお成人のインフォーマントからは、最近では「美帝」のところを「蘇修《スーシウ》」（ソ連修正主義）と歌う場合も多いという説明も聞いた。この

歌の最後の二句を「三好学《サンハオシュエ》 生人人夸《ションレンレンクワ》（優等生はみんながほめる）」として外国人のための言語指導に利用したという実践報告を読んだこともある。

4　じゃんけん遊び

指じゃんけん

グーを「石頭《シートウ》（石の意）」または「錘子《チュイズ》（鎚の意）」、チョキを「剪子《ジエンズ》（鋏の意）」または「叉《チャー》（フォークの意）」、パーを「布《ブー》」「包子《パオズ》（饅頭の意）」あるいは「紙《チー》」と呼ぶ。掛け声は「猜猜猜《ツァイツァイツァイ》」または「石頭《シートウ》 剪子《ジエンズ》 布《ブー》」であった。日本で見かけにくい形に、「水《シュイ》」（掌を開いてのばし、手刀を切る形でつき出す）、「鍋《グオ》」（掌を開き、指の第二関節から先を内へ折りまげてわしづかみの形をとってつき出す）及び「石《シー》」（拳を握った形で突き出す）で行うじゃんけんがあった。「水」は「石」に勝つ。「石」は「鍋」に勝つ。「鍋」は「水」に勝つ。

○じゃんけん書き（猜字）

小学一、二年の女の子が「水、鍋、石」のじゃんけんをくり返しながら「じゃんけん書き」をしているのを見かけた。

(1)二人が向かいあってしゃがむ。

(2)各自が前の地面に田の字形の枠を書く。

(3)じゃんけんで勝ったものは漢字の一画を書くことができる。

(4)これをくりかえし、先に田の字枠に四文字を埋めた方が勝ち。

じゃんけんに勝つことの他、画数の少ない字を先に四つ思いついた方が有利である。「天、下、大、小、上、下、平、日、月、了、子、几、田、十、石、水、女、王、考、左、右、回」などの文字がよくとりあげられるとのことであった。

（この遊びをしていた二人の女の子も、足じゃんけんの時には「包子、剪子、錘々々」と唱えていた）。

じゃんけん書き（猜字）で遊ぶ

○足じゃんけん

包子、剪子、錘々々　　　　剪子、包子、錘々々　　　〈小学生　女〉

右の掛け声をとなえながら両足で跳びあがり、「包子《パオズ》」では両足を横に、「剪子《ジェンズ》」では前後に開いて着地する。「錘々《チュイチュイ》」で足をそろえて二度跳び、最後の「錘《チュイ》」で自分の選んだサインを足で示して着地し勝負する。第一句で「あいこ」のときは第二句へ進む。第二句でもあいこなら再び第一句へもどり、続ける。各句最後の「錘」のときには跳びおりる前に空中で足を折り曲げたり開いたりしてフェイントをかける。見ているものにはその足のふりが一種の舞踊のように見えることがある。

5　動植物遊び

○春天長葉

春天長葉　春になったら葉がのびて　①
夏天開花　夏になったら花開く　②
秋天落葉　秋になったら葉が落ちて　③
冬天光杆　冬になったら丸裸　④

〈外交部通訳官　女〉

葉の対生している植物（例えばアカシヤ）の葉柄を折りとり、片手で上にむけて持ち、①「春天《チュンティエン》 長葉《ジャンイエ》」をとなえる。次に②「夏天《シアティエン》 開花《カイホワ》」をとなえながらもう一方の手の親指の腹と人さし指の腹とで葉柄の下部をつまみ、上へむかってしごきあげ、上端でとめる。葉柄の上に花びらがついた形（開花）となる。次に③「秋天《チウティエン》 落葉《ルオイエ》」をとなえながらその指をゆっくり離し、葉を落下させる。最後に葉のなくなった葉柄のみを直立させて④「冬天《ドンティエン》 光杆《グアンガン》」をとなえる。

6　縄跳び遊び

長縄跳び

長い縄またはゴムひもの両はしを、向い合って立った二人の子どもがそれぞれ持って空中へ大きくまわし、他の子どもはその輪の下へ入って跳ぶ。一《イー》、二《アル》、三《サン》……と数えながら跳ぶ遊びの他、次の歌を歌う遊びが多く見られた。

小熊《シァオシオン》小熊《シァオシオン》你《ニー》転《ジュワン》一《イー》个《ゴ》圏《チュエン》　小熊《シァオシオン》小熊《シァオシオン》你《ニー》模《モウ》一《イー》下《シア》地《ディー》
小熊《シァオシオン》小熊《シァオシオン》你《ニー》抬《タイ》一《イー》下《シア》脚《ジアオ》　小熊《シァオシオン》小熊《シァオシオン》你《ニー》滾《グン》出《チュー》去《チュー》！
熊さん熊さんひとまわり　熊さん熊さん地に手をついて
熊さん熊さん片足あげて　熊さん熊さん出てお行き　〈大学生　女〉

歌詞各句の指示する動作をしながら跳ぶ。

ゴム跳び（跳皮筋）

長く輪にしたゴムひもを、向い合って立った二人が足首、膝、腰……と段階的に高く張って行き、他の子どもは次のようなリズミカルな遊び歌にあわせて、一定のルールで跳び越えて行く。

ひもが膝より上にある場合の「跳び方」及び「歌」と「ルール」は次のようであった。

ゴム跳び（跳皮筋）の跳び方

①オヤになった二人が、長いゴムひもの輪の中に入って向き合って立つ。
②オヤは、輪をたゆまぬように張りながら、高さを足首↓膝↓腰……と次第に上げていく。
③他の子はそれぞれの高さに張られたひもを、リズミカルな「遊び唄」にあわせ、一定のルールに従って跳び越える。
④跳び越えられなかった子は、そこで遊びを外れる。

ゴム跳び（跳皮筋）の歌（歌詞）

小皮球《シアオピーチウ》　香蕉梨《シアンジアオリー》　馬蓮開花《マーリエンカイホウ》　二十一《アルシーイー》
二八　二五　六　二八　二五　七　二八　二九　三十一

三八　三五　六　三八　三五　七　三八　三九　四十一
四八　四五　六　四八　四五　七　四八　四九　五十一
五八　五五　六　五八　五五　七　五八　五九　六十一
六八　六五　六　六八　六五　七　六八　六九　七十一
七八　七五　六　七八　七五　七　七八　七九　八十一
八八　八五　六　八八　八五　七　八八　八九　九十一
九八　九五　六　九八　九五　七　九八　九九　一百零一

ゴム跳び遊びのルール

①〽小皮球《シアオピーチウ》　香蕉梨《シアンジアオリー》＝ゴムひもの前に立ち、足先を打ってリズムをとる。

②〽馬蓮《マーリエン》＝一方の足裏で手前のゴムひもを上から押さえ、その上から他方の足を踏み込んで二本のゴムひもの中間に入る。

③〽開花《カイホワ》＝二本目のゴムひもを同様にして越え、二本のゴムひもの向う側へ出る。

④〽二十一《アルシーイー》＝逆に手前へ二本のゴムひもの輪を跳んでもどって来る。

（ここまでは　2・2・3の拍。）

⑤次の「二五六　二五七」（3・3の拍）の句の間に、ゴムひもを張って立っている子の背後を駆け足でまわり、二本のゴムひもの向う側に立つ。

⑥「二八、二九、三十一」（2・2・3の拍）で先ほどの逆方向からゴムひもを跳ぶ。

このように、表、裏から交互に跳んで「一百零一《イーバイリンイー》」まで行くと「膝」が終わり、「腰」に移る。ゴムひもを正方形や五角形に張って跳ぶ場合はひもの一辺（コーナー）を二往復し、「3・3」の拍のところで次のコーナーに移動する。こうして「一百零一」まで次々とコーナーをまわって跳び続ける。

組に分かれて遊ぶときは、失敗した子はそのままの姿勢で待機しており、その子の分を味方の誰かが余分に跳んでやることでその子を救うことができる。

7　小玩具遊び

剁刀《ドゥオダオ》（釘立て）

日本では五寸釘を用いるが、北京ではドライバーや彫刻刀などを用いていた。一般に男の子の遊びとされていた。

地面にあらかじめ図形として「小猴子爬山《シャオホウズパーシャン》（小猿が山に登る）」（写真①）や、「老頭爬山《ラオトウパーシャン》（爺さんが山に登る）」（写真②）等の枠を描いておき、その図形枠内に順次「刀」を打ち込んで行くタイプと、あらかじめ参加者ごとに図形枠で「土地」を平等に分配しておき、他人の土地に「刀」を打ち込んで、打ち込み跡を結んだ範囲を自分の土地として獲得するタイプ（「土地分配」＝写真省略）の二種類が見られた。

「老頭爬山」の場合、写真の三角形（山型）の図の下部の小枠から順に上の小枠へ「刀」を打ち込んで進む。打ち損じたら交替。頂上の旗印に早く到達した者が勝ち。「小猴

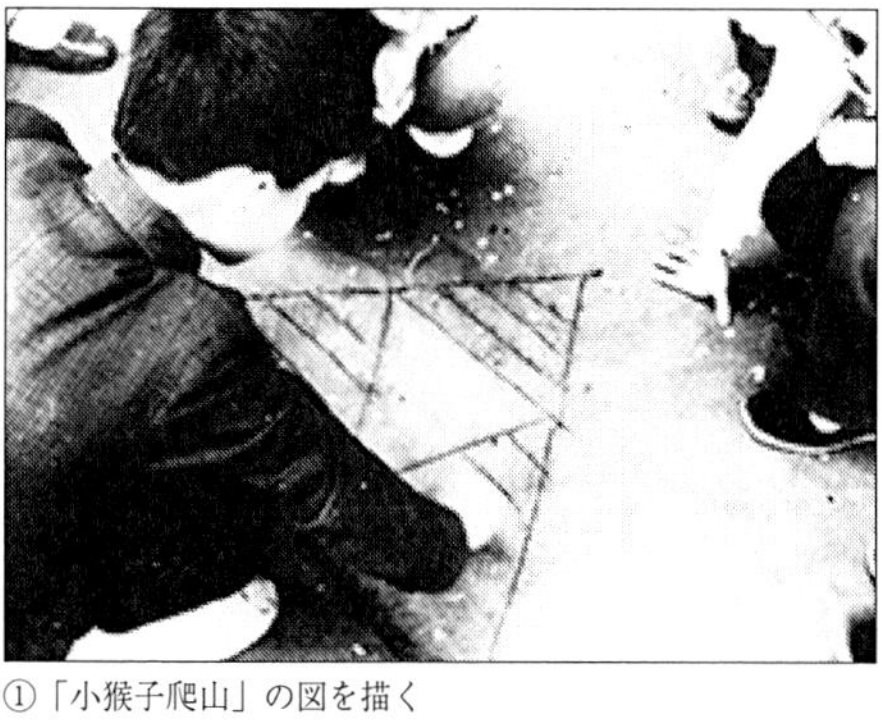

①「小猴子爬山」の図を描く

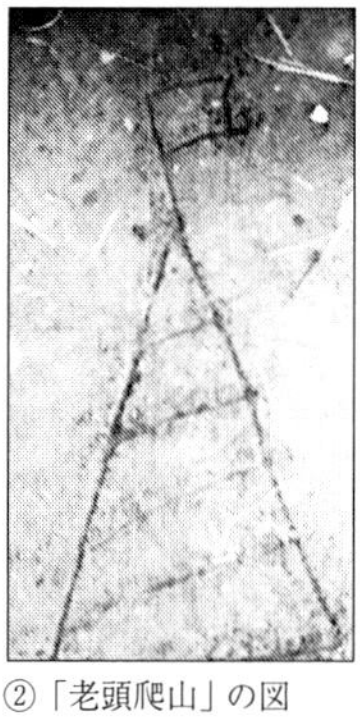

②「老頭爬山」の図

「子爬山」の場合は左下の小枠から順次上を目指して打ち進んで行き、右下の麓に降りてくる。早く降りた者が勝ち。

「土地分配」は、あらかじめ地面に長方形の図を描き、参加人数分、平等に分割しておく。これが各自の「土地」である。「刀」を打ち込む番の者は、まず自分の土地の境界線上に一度打ち込む。次に自分の土地に三回続けて打ち込む。ここまで連続して成功したとき、はじめて他人の土地に「刀」を打ち込む権利が得られる。他人の土地には三回打ち込みその打ち込み跡三点を結んだ範囲を自分の土地として獲得することができる。土地を早く広く得た者が勝ち。

欻《チユワ》々《チユワ》

手の甲に二センチメートル四方くらいのモザイクタイルを二箇～四箇並べ、それを空中に投げ上げて落ちて来るところを同

欻々

投げ上げ受け取る

手の甲に乗せて

じ手で一つずつ順に受け取る遊び。タイル二箇の場合「欻々《チュワチュワ》」、三箇の場合は「欻三下《チュワサンシア》」、四箇で行うのを「欻四下《チュワスーシア》」と呼ぶ。子どもは大体四箇までだと言っていた。これは平たい小石や貝がらなどでも遊ぶことができる。一般に男の子の遊びとされていた。

女の子の遊びとされる「欻拐《チュワグワイ》」(「拐」または「拐子」とも)はIに既述した(二一頁)。

踢毽子《ティイジエンズ》(羽根蹴り)

古い穴あき銭二、三枚を重ねて布で包むか又は糸でしっかりと結び、これに鶏の小羽根四、五本をとりつける。これが「毽子《ジエンズ》」である。毽子を地上に落とさぬように、足で蹴り上げ続ける。基本技は足の内側でできるだけ回数多く蹴り続けることであるが、時に足の外側で蹴ったり、つま先で蹴ったり、かかとで蹴ったりする。さらに技倆が進むと、高く蹴り上げて背後へまわしたり、背後からかかとで蹴って前へまわしたりといった曲蹴りを加える。この遊びは中国の子供、ことに女の子の代表的な遊びとして紹介されることが多いが、現代では次項に述べる「踢包《ティバオ》」がむしろ盛んであった。穴あき古銭がまれになったからであろうか。

踢包《ティバオ》（小袋蹴り）

中に小豆や小石などを六、七分目ほど入れた、日本のお手玉よりやや大きめで丈夫な布製の袋（「包《パオ》」）を、地上に落とさないように蹴り続けて遊ぶ。女の子の間で多様な遊び方が見られた。

○踢包《ティバオ》

「踢毽子《ティジエンズ》」（前項）の場合と同様に足の内側を使って何回も蹴り続ける。小学二年生四人と小学一年生二人からなる六人の「遊び集団」における調査では、六人中最も上手な子どもで、七十回続けられると言っていた。実演の観察では大体十回前後であった。小学一年生の二人はほとんどできないと言っていい状態であった。

○踢花様《ティホワヤン》

いろいろな曲蹴りを交えて蹴り続ける遊び。足の内側、外側、かかと、つま先、右足、左足等を適宜使う。中学一年女子の場合、左足の内側で蹴り、体の後へまわして同じ左足のかかとで蹴りかえすとか、それを一度肩で受けて次に足で蹴るとか、様々なテクニックを組み入れて遊んでいた事例もあった。

弾球《タンチウ》（ビー玉）

男の子の間で多様な遊び方が見られた。

○弾球（ビー玉弾き）

自分の玉を弾いて他の玉にあてた場合その玉を得ることができる。玉の弾き方は、まず自分の玉の位置に小指をつき、銃の引きがねを引くときのように曲げた人さし指と親指との間にビー玉をはさみ、親指で弾く。以下のすべての「弾球」遊びを通じて玉の弾き方は同様。

○吃鶏肉《チージーロウ》（鶏肉食み）

地面に直径一〇センチメートル程度のくぼみ穴を作る。これを「坑《コン》」と呼ぶ。「坑」の手前約一メートルのところに線を引く。
①はじめ、一同、線の手前に立ち、各々腕を伸ばして「坑」の近くにビー玉を落とす。
（「坑」に最も近く落としたものからはじめる。）
②散らばっている他のビー玉に自分のビー玉を二回続けてあてると「坑」に入ることが

できる。

③誰かが「坑」へ入ると、ビー玉が遠くへころがっているものは「坑」のへりから、親指と人さし指とをひろげた長さの三倍までの距離にそれぞれのビー玉を近づける。

④「坑」へ入ったものは、他のビー玉に自分のビー玉をあてて、「坑」から遠くへはじき飛ばす。その際、上記距離まで近づいていない玉があった場合、上記距離まで進んでその玉を打つことができる。

⑤こうして他の玉全部を打ったとき優勝。打ち損じたときはそこで①にもどる。

〈小学生・男〉

これをさらに複雑にした遊びに「進虎坑《ジンフーコン》（虎穴入り）」と呼ばれる遊び方が見られたが、ここでの紹介は省略する。

8　図形遊び

図形遊びには「跳房《ティアオファン》」（石蹴り）と「宝踏《バオター》」（陣とり）との二つの類型がみられた。それぞれから一種類を引く。

○跳房（跳房子）＝石蹴り

次頁に示した「石蹴りの図形」のスタートのところから順に図の枠内に石を投げ込み、枠内を片足跳びで石を蹴りながら跳んで行く。石を枠外へ出したら失敗で他と交替。石の入っている枠が自分の「房子（へや）」であり、その部分では両足をつくことが許される。他の所は片足で跳んで、全枠を往復する。一往復終わる毎に次の枠へ石をすすめ、最後まで行ったとき「上がり」となる。

○宝（宝踏）＝陣とり

次頁に示した「宝踏の図形」のような図形を利用するものがよく見かけられた。「八攻城」とも「半喇八」とも呼ぶ。図形が「8字」にも「喇叭」にも見えるからであろうか。二組に分かれ、各組がS字図形の両サイドをそれぞれの陣地とする。陣地の隅に「宝」を描く。陣地内では両足をつくことが出来るが、陣地の外では片足跳びをしなければならない。陣地へは線を

石蹴りの図形

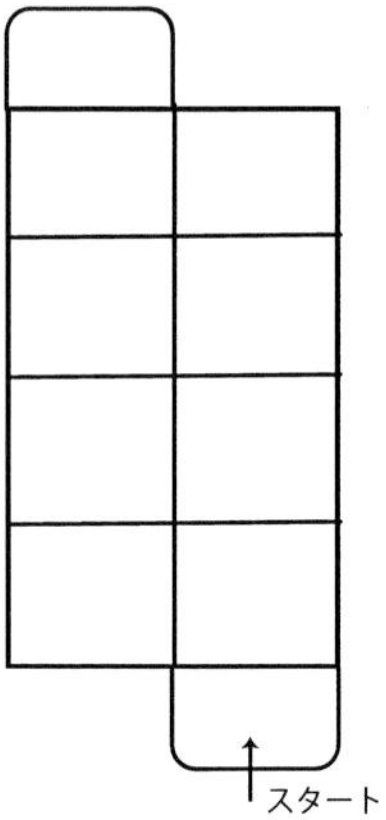

宝踏の図形

宝踏で遊ぶ

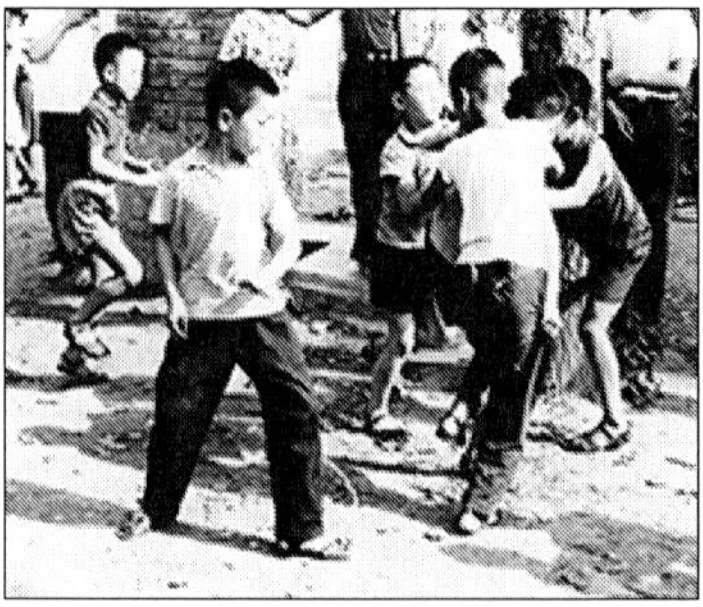

またいで入ることはできない。必ず入口から入る。組の誰かが敵陣の「宝」を踏んだとき、その組の勝ちとなる。

〈小学生　男〉

9　運動遊び

○翻餅烙餅

翻餅《ファンビン》　烙餅《ラオビン》　烙餅くるり　ひっくり返して焼きましょう
汕炸《シャンジャー》　餡餅《シャルビン》　餡餅ぽとん　ジャージャージャージャー揚げましょう
翻過来《ファングオライ》　掉滔来《ディアオタオライ》　くるりんくるりん　ジャージャージャー

〈小学生　男〉

（烙餅《ラオビン》は、小麦粉に塩、油などを入れて溶き、平たい鉄鍋に広げて焼く。餡餅《シャルビン》は、中に肉や野菜の具を包んで平たく丸めて焼いたり揚げたりする。いずれも北方中国の常食。）

二人が向かい合って頭上で両手をつなぎ合い、右の歌を歌いながら互いに逆にまわってもとへもどる。

○編花籃《ビエンホワラン》

数人が互いに仲間の肩につかまって輪になり、各自の右足を上げて折り曲げ、足首をうしろの子の折り曲げた膝の内側へかけて次々と組む。その輪を崩さないように次の歌を歌いながら片足跳びで回る。日本では「だるまさんがそろった」の歌で同様の遊びが行われている。

編《ビエン》、編《ビエン》、編《ビエン》花《ホワ》籃《ラン》　編んで、編んで、花籃編んで、
花《ホワ》籃《ラン》里《リー》辺《ビエン》有《ヨウ》小《シアオ》孩《ハ》児《ル》　花籃の中に子供が一人
小《シャオ》孩《ハイ》的《ダ》名《ミン》字《ズ》叫《ジアオ》花《ホワ》籃《ラン》　子供の名前は花籃で
蹲《ドゥン》下《シア》起《チー》不《ブー》来《ライ》　しゃがんでしまって起きられない
坐《ズオ》下《シア》起《チー》不《ブー》来《ライ》　坐わってしまって起きられない
七五六　七五七　七八　七九　八十一
八八八五六　八八八五七　八八八九　九十一
九八九五六　九八九九五七
九八九九　一百零一

〈小学生　女〉

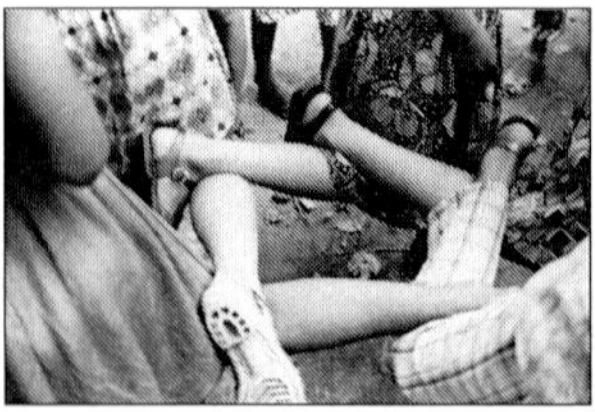

編花籠で遊ぶ

○邁歩《マイブー》、蹦歩《ポンブー》

二組に分かれて遊ぶ。分かれ方は「とり」による。

まず一方の組が一人ずつスタートラインから二歩跳び、跳んだ場所で組員同士互いに手をつなぎ身を寄せ合う。次に他の組が一人ずつ一歩跳び、同様に互いに手をつないで立つ。味方の組の内の誰か一人が手を延ばして一歩先にいる相手の組の誰かの体にタッチする。他のものは手を延ばす代表選手の腕や腰などをひっぱって倒れないように、しかもできるだけ遠くに手が延びるよう援助する。タッチできた場合、あとの組の勝ち。

次は両組が入れかわり、前回あとに跳んだ組が二歩跳びをし、以下同様に展開する。タッチできなかった場合、あとの組は退き、先の組は一人ずつ順に二歩跳んでスタートラインにもどる。全員二歩でもどることができたとき、先の組の勝ちで次に三歩跳びに移る。あとの組は二歩跳んで同様な展開をする。以降順次歩数をふやして行く。もどれないものがいた場合、あとの組の勝ちとなり先後が入れかわる。

はじめの歩幅は、助走も可能なので距離が伸びやすく、同じ歩数で元へもどれないことがしばしばある。小学生にも中学生にも人気のある遊びで、学校の休憩時間などにもよく見られた。

10　鬼遊び

○猜果子醤（ジャムあて）

二組に分かれて遊ぶ。分かれ方は組分けじゃんけんによる。両チームが一列に並んで向かい合ってしゃがむ。各チームは耳うちで相談して相手チームにわからないようにメンバー各々に仮名をつける。はじめ一方の代表（たとえばA）が一人出て相手チームから一人を呼び出す（たとえばB）。Bは味方の方を向いてしゃがむ。AはBの背後から手でBを目隠しする。そうしてAは味方チームから特定の一人を、かねて申しあわせておいた仮名で呼び出す。呼び出された子はBの頭を軽く三回叩いてもとへもどる。そこでAは目隠しをはずし、Bは立ち上って相手チームの中から自分を叩いた子をあてる。あたったときはBの勝ちで次はBが相手チームの一人を呼び出し、同様に目隠しをして上記のように遊びを続ける。あたらなかったときはBはAのチームにとられ、Aは相手チームから次の子を呼び出して同様に遊びを続ける。こうして一方のチームがすべて相手チームにとられたとき終りとなる。叩いた子をあてるとき、相手チームはいっせいにはやしたて、迷わせる。

Ⅲ　北京通信抄

ある婦人のはなし
ある教師の暮らし
辺境の「下放青年」たち
魯迅の「故郷」を訪ねて
日本映画週間
北京通信抄

北京「民主の壁」に見入る人々（1979 年 1 月）
この壁新聞には「強烈要求国務院……」とあった。
（白制服は警官の制服）

ある婦人のはなし——河北省 唐山へ帰る

戦前に中国に渡ったKさんの場合

一九七九年、春節の休暇を日本で過ごし、再び北京に帰る機中で、私はKさんと隣り合わせになった。Kさんは一九二五年（大正一四年）日本で生まれ、日本の女学校を卒業すると中国東北部（旧満州）へ渡った。相席の会話の中で聞いたKさんの述懐を、私はそのまま聞き過ごすことはできなかった。戦争を挟んだ激動の時代の波を、人はどのように受け、どのように乗り越え、そしてどのように意味づけるか。Kさんの場合は、それまで比較的平穏に過ごしてきた私に、人の「生」への畏敬といったものを改めて感じさせる述懐であった。

Kさんは遼寧省の大連で敗戦を迎え、やがて中国人の男性と結婚した。いろいろな経過があって二人は、本人の描写によると、「乞食をしながら」、大連から河北省の唐山市まで歩いて移動し、そこで石炭の粉を丸めて炭団を作る労働に就くことになった。唐山にはKさんの夫の両親が暮らしていた。Kさんの一番の苦労は、この両親（日本で言えば舅、姑）との人間関係であった。

一例を挙げると、当時、中国には嫁が里帰りをすると、必ずお土産を持って婚家へ戻るならわしがあったが、自分には帰るべき「里」がない。当然何も持って帰ることができない。「それで舅、姑からいびられました」とKさんは言った。夫が病気で早く亡くなって、Kさんには味方が一人もいなくなった。「それでも舅たちの老後を最後まで看取って、嫁として、私は良かったと思ってくれていただろうと思います」とKさんは二度繰り返して言った。人間としてのつとめを果たしたという確信、それがKさんの誇りであり、初老を迎えたKさんの人生の支えとなっているように思われた。

子供は二人。「上の男の子は結婚して独立していますが嫁さんの味方ばかりして、自分に親切でない。下の娘はやさしかったが、先年の唐山地震で亡くなりました」。「中国では、〝娘は綿入れのはだこよりあたたかい〟って言います」。Kさんが日本へ手紙を書く気になったのはそのあとのことである。日本にいる兄は「頭の病気で」入院しており、事態が理解できなくなっていた。姉夫婦に連絡が届いて、ようやく一時帰国がかない、いま、再度中国に帰るところだと言う。

日本への一時帰国の手続きを始めてみてひとつ感激的なことがあった。「亡くなった夫が、私を韓国籍にしていてくれたのですよ。私は知らなかった」。自分は、おそらくそのおかげで、幾つもの苦労や辱めを受けずに来ることができたのだ、とKさんは言った。

が、「その韓国籍を抜くのに一年かかりました。その後で日本籍を取る手続きをしたのですが、日本の事務処理は速かった」。「戦争中に海外へ出て、まだ一度も里帰りしていない日本人には帰国費用は全額国費、日本滞在中は六カ月の生活扶助が受けられました」。

その期間が過ぎ、いま再びKさんは中国へ帰る。親戚から日本円で二十万円を貰って来ていた。私は途中寄港した上海空港の銀行でそれを中国通貨に換える手続きを手伝ったが、中国元で二千百元になった。当時四十歳代の北京大学の先生の給与が月六十八元だったことを考え合わせると、これがどんなに大金か。いまの中国は経済的に苦しいので、海外に生活の安定した親戚があるのは大変有利で、冷淡だった息子の態度も変わってきているという。Kさんはこのほかに日本の銀行に十五万円の貯金を残してきたと言っていた。

「永久帰国することになったらと思って……」

「自分のおなかを痛めたお子さんを中国に残して日本に帰られるのはお辛いでしょう」

「いや、もういいですよ。子どもは一人前に育てたし、舅たちには十分に尽くしたし、私が中国でしなければならないことは終わりました。後は日本でゆっくり過ごしたい」。


Kさんの前の席に、上海から大阪へ、上海と大阪との姉妹都市縁組みの事務上の交渉のために旅行社の通訳として同行した帰りだという、Kさんとほぼ同年輩の中国人の婦人がいた。やがて、Kさんはその婦人と話し始めた。聞いていると、その婦人も戦前に日本の女学校を卒業して四十年ぶりに日本を訪れ、いま中国に帰るところだった。

「日本はいいですね。何でもあるでしょう」とKさん。

「ええ、たしかに経済的には日本は進んでいますね。でも中国もこれから良くなりますよ。それにあなたには一人前になられた息子さんがいらっしゃるじゃありませんか」

と中国婦人。

この答えはKさんには意外だったようだ。私は横で聞いていて、「祖国」とは何かということとを考えた。母国というものはそこに属する人によってこうも見え方が違うものか。

Kさんは紛れもなく日本人である。日本国籍を回復し、死んだことになっていた自分のお墓を取り去るまでは、あるいは、最愛の娘さんを亡くす前までは、一生を中国人として彼の地で終わる覚悟で居たかも知れないが、いまは違う。一方、相手の方は紛れもなく中国人である。青年期まで日本で育ち、日本の女学校を卒業し、つまりKさんと同じ世代で，同じ年月を日本で生きたという点は同じだが、「祖国」は同じでない。外から見て、いまの中国が如何に貧しく見えようとも、自分のすべてをそこに託しているのである。

ある教師の暮らし――雑誌「人民教育」のルポを読む

清水衙門《チンシュイヤアメン》

北京で中国教育部（日本の文部省＝文科省にあたる）を訪れた時、そこの石段を上りながら同行のMさんが「教育部のようなお役所を、中国語では〝清水衙門《チンシュイヤアメン》〟と言うんですよ」と言った。「衙門」とは官庁の意である。私はとっさに、清水のように高潔な、という意味であろうと受け取って、「ほほう」と相槌を打ったが、見るとMさんはいたずらっぽく笑っている。

「〝水だけはある〟という意味です。工業部や対外貿易部はいろいろと、もの持ちですけどね」

「ああ、それなら日本も同じですよ。文部省が一番貧乏だと言われています」

私はそう受けながら、私の授業に出ていた北京大学の学生たちと将来について語り合ったとき、彼らが「先生になりたいと思っているものはおそらくいないでしょう」と言っていたことを思い出した。「どうして？」とその時私は反問し、「教育を重んじない国に国の未来はない」と大いに力説したのだけれども、「ついこの間まで生徒側からこっぴどく吊しあげられている先生の姿を見て来た学生たちに、先生になれと言ったって、そう簡単にイエスとは言いませんよ」と中国通の日本人にたしなめられてしまった。今日の中国における教員の社会的地位は、私の予想をはるかに越えて低いものであった。「造反有理」の十年のつけが今ここにまわって来ている、今日の中国の教育界の最大の問題点はここにある、と私には思われた。

一九七八年四月、全国教育工作会議で行われた鄧小平の演説は、日本で言えば教育基本法のような受けとめられ方をしているが、その中では一項を設けて、教員の政治的、社会的地位の向上の必要性を訴え、行政部門に教員の待遇の改善と福祉事業の発展に尽力するよう求めている。この演説で提案された、優秀な教師に特級教師の称号を贈り、優遇するという政策は直ちに実行に移され、半年もするとあちこちでその肩書きの人を目にするようになったけれども、全体の教員の待遇改善についてはそう簡単に実現できないもののようである。

雑誌「人民教育」のルポ

一九七九年二月号の「人民教育」という雑誌（北京、人民教育社刊）に「特別訪問―ある教師の家庭を訪ねて―」という記事が載っていた。

始めの日、記者は、今年四十二歳になる中学校の物理教師B先生を、放課後、学校に訪問する。B先生は一たん自宅に帰ったということで不在だったが、やがて息せき切つてもどって来てこう言った。

「実は四つになる女の子が一週間前から熱を出しているのですが、ここのところ忙しくてめんどうを見てやれなかったもので、一寸帰って来たのです」

「お嬢さんはどちらに？」

「鍵をかけて家に寝かせています。女房も別の学校で国語の教員をしていまして、二人とも六時にならないと家に帰れないものですから……。いや、決してご心配なく。電気とストーブとポットには絶対さわるなと言いきかせていますから……」

B先生は一九五四年にこの中学（日本の高校に相当）を卒業してそのまま母校に残り、以来二十三年間ずっとこの学校で物理の先生をして来た。

「何歳の時に結婚されたのですか？」

「三十六歳でした」

「夜は大体何時頃におやすみになりますか？」

「二時頃でしょうか。ゆうべは宿題に目を通していたので二時半でした」

こういう会話があって数日後、記者はB先生の家へ行く。北京によくある四合院《スーホーユアン》という造りで、一つの中庭をとりまいて四軒の家がある。そのうちの一つ、十一平方メートル（六畳一間の広さ）の平屋に夫婦と子供二人で暮していた。

「あいにく女房が留守で……もっとも彼女がいたら座ってもらうところがなかったのですが」

と言いながらB先生は記者に椅子をすすめた。二段ベッドが床の半分を占領し、家具らしいものは長持と机が一つずつ。この机の上で調理をし、食事をし、また、字も書くのだと言う。天井に雨漏りのあとがあり、冬にはここに棗《なつめ》のようなつららが下がる。それでも床や机にたくさんの書物や教科書が散らばっているので一日で教師の家だということが分る。

Ｂ先生は学校の理科主任。少ない時でも三クラス、週十二時間、多い時には二十一時間の授業を担当する。他の先生の話ではＢ先生はベテランで、授業も活発、教育効果も格段にすぐれているが、低血圧で病気がちの体であり、一日五、六時間も授業の続く時はかなり苦しそうだ。しかし彼は何も言わないし、ほとんど授業を休まない。

「授業の他にどんな仕事があるのですか？」

「それが…多いのですよ。会議や政治学習。それに理科教室の運営にかかわる事務。授業の準備にもっと時間をかけられるといいのですがね」

「普通どこで下調べなさるのですか？」

「ここですよ。あなたが座っている所が女房の席で。二人の子供が寝てからですね」

Ｂ先生は長持の蓋を開けた。数十冊の作文ノートがつまっていた。

「これはね、女房が学校から持ち帰って、見終わらないままつっ込んであるのです」

一日の多忙な勤務のあとで、彼らは誰に命じられたものでもなく、誰に検査を受けるのでもない仕事を、誰にも知られず、この半畳ほどの机の上で夜遅くまでかかって果たすのである。

しかしそのことがこの四合院の隣人から見ると不満の種となっている。なぜなら電気代が四軒の共同負担だからだ。

「私は三十六歳で結婚して、四十歳すぎて子供がやっとこの年齢でしょう。まあ、中国の晩婚奨励と計画出産の政策には協力しているわけですがね」

とB先生は言い、子供に目をやり、次いで記者を見て自分から笑った。記者はこの言葉に答えることができない。

「十九歳から教壇に立って、結婚するまで、私は青春のすべてを学校に捧げました。若いうちは頭の中は仕事のことでいっぱいで、家庭を持つとこんなにたくさんわずらわしいことが出てくるとは考えても見ませんでしたね」

「それはどんなことですか?」

「まず給料が低いこと」「奨励金が出ないこと（中国の一般の職場では仕事の能率に応じて奨励金を支払う制度が最近できた）」「ボーナスと福祉施設が乏しいこと」

住宅事情も極端に悪い。特に三、四十歳の中年教師は、仕事は忙しい、収入は少ない、おまけに老人をかかえ、子供が幼いというわけで生活の負担が大きい。B先生は夫婦共働きで、共に二十年以上の経験がありながら給料は二人あわせて一〇三元。同じように二十年勤続の労働者の収入に比べると月二十元程も低い収入だ。二人の子供を預けると、北京では一人あたり月に三、四十元かかるので、B先生夫妻には二十元しか残らない計算になる。B先生はトランジスタラジオ一台持っていない。国語教師にとって辞典は必需品だが、夫人はこれまで何度も買おうと思って買えなかった。昨年彼女は、子供の服を買うことを止めて思いきって四元払って一冊の辞典を買った。この四合院の住人はB先生一家を除くとすべて一般の労働者家庭であり、どの家庭もB家より豊かである。彼らはこう言っている。

「先生の仕事ってのはわずらわしいことばっかりで稼ぎは少ない。誰にもできることではない」

記者は、ここに社会の縮図を見た、と書いている。これは小・中学教師の、社会的、政治的、経済的地位の反映である、と言っている。師範学校に在学する学生の中にも、教師の仕事につくことをいやがるものが少くないと述べてある。記者はこれを「四人組」による知識分子圧殺政策の結果だと言い、教師の仕事と生活を理解し、彼らの要求に耳を傾け、当面している困難を解決することに取り組まなければ、中華民族の運命は暗たんたるものだ、と訴えている。

辺境の「下放青年」たち――雲南省思茅・西双版納

「琵琶鬼」の追放

一九七八年夏、雲南省南部の西双版納《シーシュアンバンナー》まで行ったときのことである。

「景洪《チンホン》へ行くなら女房を売って棺材を買え」という言葉があるという話を思茅《スーマオ》でバスに乗るときに聞いた。景洪県は西双版納州の中心地。以前マラリアのはげしかったところで、ここへ入った者はまず生きては帰れない、女房を連れて行って共に死ぬよりは、自分のために棺桶の用意をして行った方が賢明だ、という意味である。州の人民病院を訪れたとき、副院長の李圭芳医師が「街に妊婦は見かけるけれども子どもの姿は見かけない」という言葉もありましたよと言って笑った。

景洪県の隣、勐海《モンハイ》県などは、ひところ人口二〇、〇〇〇人を数えたこともあったのに、一九二九年のマラリアの大流行で半減し、その後も天然痘、コレラ、ペストなどの発生が相次いで、一九五〇年に紅軍がここを解放した時にはわずか二、〇〇〇人しか残っていなかったという話を聞いた。新政府がまずやらなければならなかった仕事は医療と衛生の整備であった。そのとき、雲南省の首都、昆明から、医薬品と医療器具とをかつぎ、二十日間歩き続けてここへ入った医療隊員の一人が先の李女史である。今はもちろんここへの旅にそのような悲愴感はない。マラリアの罹病率は〇・三％に押えられ、天然痘、コレラ、ペストは絶滅した。医療のほか行政の各方面にわたって、ここは中国辺境のうちでも最も改革の成功した地域の一つと言われている。

海抜一八〇〇メートルの昆明から、思茅、景洪を通ってラオス境、海抜五〇〇メートルの勐捧《モンポン》まで下る自動車道路は一九五四年に開通した。熱帯の密林を縫って、私たちのバスは時速四〇キロで走る。二分に一台ぐらいの割で向うから帰るトラックとすれ違う。運転台の横に「雲南省交通局」と書かれているトラックはほとんどが空車である。何の印もないのはおそらく軍用で、国境警備から帰るのであろう。赤土にまみれ、ときどき帆布の間から赤い襟章の兵士が見える。

銃を脇に、山の茂みを歩いている男たちを車窓から二度見た。鳥でも撃つのかと思ったら、とんでもない、最近、豹の被害が続いているので警戒しているのです、と運転手が言う。そう言えば道を横切るアメ色の牛の群にバスがしばしば立往生させられたが、あれら、放牧の牛などがねらわれるのであろうか。同行のウルドゥー語科のL教授が、先日、象の群がこの道をふさいだために、しばらく車が通れなかったと新聞に出ていた由を語る。

山腹の村落は、はじめのうちはほとんど切妻の草葺き屋根に泥壁であったのに、下るにつれて、木造、入母屋、高床式の住居が目につくようになる。傣《ダイ》族の村である。西双版納州は傣《ダイ》族、愛尼《アニ》族の自治州だが、他にも十余の小数民族が寄り合って暮しているところである。哈尼《ハニ》族、拉祜《ラホ》族、布朗《プーラン》族、佤《ワ》族、布依《プイ》族、瑤《ヤオ》族、苗《ミアオ》族、漢《ハン》族、基諾《ジノー》族、それに、まだどの民族に属するかわからない、山大《シャンター》人、空格《コンゴー》人、沙芒《シャーマン》人、苦聡《クーツオン》人、阿克《アーコオ》人、などである。解放時、彼らの社会の発展状況は様々で、原始社会の状態を保っているものから、奴隷社会の段階にあるもの、封建社会の段階にあるもの。さらには傣《ダイ》族のように独自の文字を持ち、中国内地の漢族と同じ文化水準に至っているものまでその幅は大きかった。根深い漢族への不信感を抱くこれら各族の集団に新中国の政策を宣伝し、経済的、文化的な行政を浸透させ、ついに人民公社の設立にこぎつけるまでに、幾度命をねらわれたかわからない、と州事務所の岩温暖氏は語った。開拓者たちが最も手を焼いた障害の一つに民間の俗習があったという話も私たちを深くうなずかせた。たとえば、村にとって不都合な人間を「琵芭鬼《ピバグィ》」として山へ追いあげてしまうという風習があった。高熱を出して苦しむ病人は赤鬼がとりついたと言って、また、双生児を生んだ母親は「琵芭鬼」と見なされて、赤子とともに山へ追われた。人民病院の小児科医、刀叔珍さんの母は美人であったために地主の妾になることを求められたが断ったので「琵芭鬼」だと見なされた。解放時すでに孤児となっていた刀叔珍さんは、医療隊で働くうちに医術を覚え、さらに医学院に学んで、今では病院の中堅としてなくてはならぬ存在となっている。

地方行政を担う「下放青年」

景洪の街へ入るところで、バスは幅一〇〇メートルばかりの川を渡る。潤滄江《ルンツアンジアン》。ビルマ、ラオス、タイ、カンボジア、ベトナムとインドシナ半島を流れ下るメコン河の上流である。今は雨期で、これでも幾分色が薄いのだというが、赤茶色の、アンツーカーを流したような水である。乾期には水温が低く、長くは手をつけていることができないという。

宿泊所はうっそうとした油棕（油ヤシ）の植え込みの中にあった。夜の招宴で出合った、州の外事処に勤める四人の青年たちのことは忘れがたい。ともに二十七才。一人は上海の中学校（日本の中・高校に相当）在学中、文化大革命の政策に従って下放（都市から農山村に行き、住み着いて働くこと）してここの農村に入り、そのまま居着いて外事処に勤めるようになったという。一緒に来た同級生と婚約中。二人目は思茅から下放し、これまた上海から来た女性と婚約中。三人目も思茅の出身で、一緒に下放した同郷の女性と結婚、二〜三日のうちに父になるという。四人目は地元の傣《ダイ》族の女子青年。色あざやかな長い巻スカートと細身の長袖の上着にイヤリング、髪かざりといった民族衣装は、北京市で、色彩の変化の少い服務服姿の女子青年ばかりを見て来た目には非常にはなやかに映るが、彼女たちはそのままの服装で野良仕事にも出るのである。

四人の青年たちは若々しい話題をいっぱいかかえて、よく食べ、よく語った。桂林、柳州、南寧、昆明とまわって来た私たちの三週間の旅行の間に、これほどに年若い行政マンに接することができたところは他にない。ことにその前夜、私たちは昆明で、六十歳の中国解放戦争歴戦の勇士、張金波氏の豪快な招宴に圧倒されて来たところだったので、これは又いかにもみずみずしい印象であった。

やがて父になるという青年がこんな話をした。彼は、生れて来る自分の子の名前のために二つの文字を選んでいた。男の子用と女の子用とである。ところが彼の家は思茅の旧家で、自家伝来の名づけの習慣を持っていた。古典の詩句から文字を選ばねばならないというのである。残念だけれどもぼくの希望の名前はつけられないだろうと彼はいう。同席の日本人Aさんが、そんな習慣には「造反」したらどうですかと聞くと、青年は少し考えて、そういう「造反」は意味がない。父たちにそれが古い考えであることを告げ、習慣に従わないことは簡単だが、それによって得るものは何もない。だから自分は父たちの考えに従うつもりだと答えた。これが中国共産党の政策を、最前線において実践している若い党員の言葉であるとは、その場に居あわせなかったとしたら私は容易に信ずることができなかったであろう。中国辺境の政治が、文化大革命中に下放した青年たちの手にゆだねられ、今、たしかに動きはじめている、という実感がさわやかに私の胸を打った。

傣族の家屋

次の日、曼景欄《マンチンラン》の農家で昼食をふるまわれることになり、高床式の住居に通された。床下は高さ二メートル、物置き、鶏舎、豚舎に使われている。柱が土台石の上に乗っている。階段をあがると、広さ二〇畳ほどの板敷があり、ここで藁仕事や竹細工をするという。その中央に、居間への入口がある。さしずめ玄関といったところ。板敷の右手は一段下って竹製のすのこ床。まわりに水がめや食器、花を咲かせた植木鉢などが並んでおり、針金をはって洗濯物が干してある。ここからも居間に入ることができる。勝手口である。居間は広さ五、六十畳と思われる板敷の、いわばワンルーム方式の部屋である。勝手口のとっつきに水屋、その先にいろりがある。畳半畳ほどの床に粘土をはり、天井から下った太い針金に薬缶がかかっている。居間の三分の一をアンペラで仕切って寝室がある。寝室には床にもアンペラが敷いてあり、入口は二か所、花模様のカーテンが下っている。室内に仕切りはなく、木製のベッド一台と、マットレスに毛布を敷いた三人の寝床が三つ、等間隔に並んでいる。

玄関のわきに乾杯用のグラスのような形をした太鼓がたてかけてあった。高さ八〇センチぐらいか。ベルトで肩にかけ、掌で打つ。象脚鼓《シアンジアオグー》という。コロンビアから来たK氏がいたずらっぽく手にとって、陽気なリズムを打ちだした。主人が近づいて来て、長男が音楽好きで、州の文工団（歌舞団）に入っており、各地を上演して回っている、と語る。われわれ来客の接待をしていた下の娘さんに傣族のリズムを聞かせてほしいと頼んだが、はにかんで受けず、かわりに傣族の山歌（民謡）を歌ってくれた。歌詞は新作で、この地の風物にあわせて華国鋒主席を賛える主旨を歌い込んだものであった。私は主人にねだって傣族の昔話をテープに収めた。曼景欄の地名起源説話であった。

昼食はごま油をふんだんに使った煮込み料理。見た目は日本の煮しめに似ている。ごはんはここにありますから、と主人にすすめられ、テーブルの下をのぞくと大きな洗面器のような器があり、餅米をふかした灰色のおこわが山盛りに入っていた。右手でテーブルのおかずをつつきながら左手をテーブルの下につっ込んで、おこわを掌中ににぎり固めては手づかみで食べるというのが作法であった。

「下放青年」のいま

西双版納四日間の日程を終えて思茅《スーマオ》までもどった夜、私たちは二人の女子青年の訪問を受けた。同行のアメリカ人M女史が勐海《モンハイ》の街で写真を撮っていたとき、そのカメラはどこ製かと聞いて来て親しくなった女子青年だという。内、一人は勐海からさらにバスで三時間登ったところにある山の小学校に勤める先生であった。日曜日を利用して、思茅の中学校で英語を教えている友人宅へ遊びに来、誘いあわせて私たちの宿舎を訪れたのである。

彼女たちも文化大革命中に上海から下放した青年であった。今年二十六才。英語の先生の方はすでに結婚し、夫君は勐海に仕事を持っている。土曜日ごとに夫婦どちらかの家に行って過すという。小学校の先生の方は未婚。全校一六〇人の子どもたちは主に哈尼《ハニ》族。全寮制で、月曜から金曜まで子どもたちの全生活につき合うと言う。その学校には先生が六人いるが、漢族である彼女は主として「語文」（漢語＝日本の国語科に相当する）を担当する。もっとも小学校なので全教科をこなさねばならぬことは言うまでもない。視聴覚機器などは何もない。教えてもイメージの伝わらぬことがらがたくさんある。海を知らない、汽車を知らない。そうして彼女たちの共通の悩みは、自らを高めるための研修の機会に恵まれぬことである。〝四人組〟

の路線の強かった時代、即ち今から考えて彼女たちが最も勉強しなければならない年齢であったと思う時期は、勉強よりは労働を、専門の学習よりは政治の学習を強制されて来た。これからでも大学へ進みたいと思うけれども、今日の中国は空前の進学熱で、大学は入学の年齢の上限をきめている。私たちはいったいどうしたらいいのか。今のところ将来に光明を見出せない思いだという。

知識青年の下放という政策は、たしかに中国全体の思想と文化の水準を引きあげた。「思茅《スーマオ》も勐海《モンハイ》も、私たちが来てから街の雰囲気が一変した」と自信を持って言い切る彼女たちだが、しかし、これからの自己の向上の方策については深刻な壁にぶつかっているのである。現在の中国は、かつての文化大革命のエネルギーを支えたこれら青年たちの当面の問題に答える政策をまだ打ち出していない。

北京に帰ってから私は中国教育部（日本の文科省に相当）副部長による「中国における教育事業の発展情況」と題する外国人「専家」向けの講演を聞く機会があった。終了後、聴衆から出された質問に、「文革中に下放した青年に対するアフターケアをどうするか」という一項があがっていた。副部長は、その問題にもとり組んでいるとは言ったけれども、具体的には何も答えることをしなかった。

今、中国では新聞の論調にも、会合の演説にも、しきりに「四人組の流した害毒の清算」がとりあげられ、実害を受けた当時の指導層の人々の名誉の回復が毎日のように報じられている。だがその背後に、文化大革命の期間における各自の生き方を、具体的に収束し、止揚することのできる現実的な政策の実施を待ち望んでいる広範な大衆のあることもたしかである。

魯迅の「故郷」を訪ねて――浙江省 紹興

「私の覚えている故郷」

魯迅の小説「故郷」の主人公は、真冬、苫船に乗って二十年ぶりに故郷へ帰って来るが、苫の隙き間から「鉛色の空の下、わびしい村が、いささかの活気もなく、あちこちに横たわって」いるのを見て、「私の覚えている故郷は、まるでこんなふうではなかった。私の故郷は、もっとずっとよかった。」と回想する。

七九年夏、私はこの小説の舞台である魯迅の故郷、浙江省紹興を訪れてその田園風景に接した時、「これはまるで私の故郷そのままだ」という感想を抱いた。それまでの一年間、私は主に北京で暮していた。北京周辺の農村は、日本から渡った私には「殺伐」としか言いようがなかった。一面の丈高いとうもろこし畑。乾ききった土塊。地下水を汲みあげたポンプ水路を除いて、川らしきものは一本もない。「私の故郷はまるでこんなふうではなかった」。

ところが、黄河を渡り、長江を横切り、杭州から紹興まで下ってみると、これはもう日本の農村そのままだった。縦横に走る小川に小舟を浮かべて苗を運んでいる。牛を追い、代《しろ》を掻き、並んでうしろ進みに田を植えている。手廻し式の木製の送風機を使って籾殻を吹きあげている。耕耘機も、田植機も、およそ機械化農業を思わせるもの何一つ見えないところがいっそう私の懐旧の気持ちをかきたてた。街へ入っても水路は人々の生活と結びつき、船を通すために背を高くした橋が路地から路地にかかっている。家の裏手から水べりに降りる石段が苔の色をしてあちこちに見え、そこに子どもたちが腰をおろして対岸の子と何か言い争っている。子どものころの私の故郷（島根県松江市）もそうだった。街なかの堀割の水は澄んでおり、缶やビニールが浮いていることはなかった……。

私がこんな感懐にふけっていると、同行の潘金生教授が急に車を止め、「ここだここだ」と言いながら降りて行った。清末の女性革命家秋瑾の記念碑があった。軒亭口という昔の刑場のあとであり、秋瑾はここで処刑されたのだという。その処刑のニュースを魯迅は留学中の日本で聞いている。小説「薬」の中で、夏瑜という青年革命家が処刑されるのもこの場所である。

刑吏は青年を処刑してからその心臓をえぐり取り、肺病の妙薬として一人の男にそれを売る。男はそれを蓮の葉にくるんで焼き、饅頭だと言って、病む子に食べさせる。

ファインダーのなかの墓誌銘

私はあわてた。いっぺんに現実の、革命の歴史に満ちた中国にひきもどされ、一人よがりの感懐にふけっていたことに、何かしらうしろめたさのようなものを感じた。前にも一度これに似たことがあった。昆明で、中国国歌の作曲者聶耳《ニエアル》の墓に立ち寄った時、カメラのファインダーをのぞいていると、ふと郭沫若の筆になる「一九三五年日本鵠沼海岸で溺死。二四歳。この若さにして敵国の地に命を落したことは慚愧に堪えぬ云々」という主旨の墓誌銘が目に入った。一九五四年の日付があった。少なくともこの年にはまだ郭沫若は日本を敵国と呼んでいるではないか。私はシャッターを押すことができなかった。

魯迅の故居はていねいに保存されていた。入口に広い土間。今日の日本なら自家用車のガレージといった格好に見える。奥へむかって、何世帯かの親戚が一緒に暮したこともたしかにあったろう、レンガ造りの土間のへやが、間に中庭をはさみながらじぐざぐに、一棟、又一棟とつながっている。少年ルントーが立っていた台所、後年のルントーが碗や皿を埋めておいた灰の山はこのあたりにあったろうか……私の頭の中の小説の場面が、現実の魯迅の故居にごく自然に重なって行った。小説の中の「私」が雪の日の鳥罠を楽しみにしていたという後庭は、「百草園から三味書屋へ」という魯迅の文章などを材料に私が想像していたものと、広さも姿もぴったりだった。魯迅はそこでこんな風に描いている。

「わが家の裏手に昔から『百草園』と呼ばれる大きな庭があった。周囲を取り巻く低い土塀の下だけにも無限の興趣があった。こちらで油蛉《ヨウリン》が微吟し、あちらではコオロギが琴をかなでる。欠けた煉瓦をひっくり返すと蜈蚣《むかで》のいることもあった。それから斑猫《はんみょう》もおり、指で背を押すとポンと音がして尻から煙を吹いた。何首烏《かしゅう》の蔓と、木蓮の枝とはからみ合っていて、木蓮には蓮の形をした実が成り、何首烏には瘤状の根があった。その根が人間の形をしたものを見つけて食うと仙人になれる、という話をきいて私はよく根を引っこ抜いた。長い根をどこまでも抜いていって、しまいに土塀をこわしたこともあったが、人間の形をした根はついに見つからなかった。」

土塀は本当にもろい造りだったのであろう、今はごく一部しか残っていない。すっかり蔓草におおわれ、土の色は見えなかった。私の胸ぐらいの高さだった。その外側一間ほどのところに新しくセメント張りの背の高い壁が築かれ、これが百草園を三方から囲んでいた。小説「故郷」の主人公が、ルントーの豊かな生活をうらやんで。「高い塀に囲まれた中庭から四角な空をながめているだけなのだ」と自分たちの暮しをなげいている声が、私にも聞こえてくるような気がした。

魯迅が少年時代に通ったという寺子屋「三味書屋」は思ったより狭い書塾だった。昔のままの懸軸が下り、昔のままの机が並んでいた。魯迅が彫りつけたという落書きもそのままで。魯迅の文章によると、塾の裏庭は勉強ぎらいの悪童たちがエスケープして蟻や蠅とたわむれたところのはずだけれども、それにしてはまったく子供らしいところがなかった。老人趣味という方がぴったりで、百草園からここへ追いたてられたのでは魯迅ならずとも論語ぎらいになるのは目に見えている。逆に言えば、この書塾の老人向きの造りこそが、魯迅に革命的な反骨を植えつけたのかもしれない。

故居と並んで建てられた魯迅記念館は、これは又、大きな造りだった。私は他に、上海と北京の魯迅記念館にも立ち寄ったが、どれも同じように大げさで、偶像崇拝をきらった作家を、こともあろうに偶像崇拝でもって遇しているような感じがし、いい印象は受けなかった。魯迅は日本でこそ作家として受容されているけれども、今日の中国においては「偉大な思想家・革命家」としての面が強調されている。竹内好氏は「一つの仮説だが」と断ったうえで、「魯迅は文学本来の役割り以上に、歴史の教材として、いわゆる接班人《チエバンレン》（＝次世代）育成の目的で読まれている部分が大きいのではないかと思う」と述べている（『魯迅文集』第一巻解説）。中国の魯迅記念館も文学のためのモニュメントというよりは、より以上に政治教育を目的とするもののように思われた。

卑小なる人間

日本語科三年生の教室で、魯迅の「小さな出来事」（竹内好氏訳）をテキストに用いたことがある。この小説は、良心的知識人とでもいうべき主人公「私」が、人力車にふれて転倒した老婆に対する車夫の親切な行動を見て自らの内にある「卑小」を自覚し、以後の人生においてしばしばこの体験を思い起こしては勇気づけられるという物語である。

学生たちはこの「私」に作者魯迅を重ねて読んだ。そのこと自体はこの作品の場合一応容認できるとしても、彼らがそこに読み込んだ魯迅は、今日の中国において公式に流布されている「プロレタリア革命戦士」であり、「偉大な思想家・革命家」であるところの、強い魯迅であった。大部分の学生たちは、はじめ「卑小」のかたまりであった魯迅が、「この出来事」に出会って以後、自己変革をとげ、完全で強い人間に生まれ変わった、そのプロレタリアートに学ぶ態度がすばらしい、というような図式でこの作品を読んだ。私には、これは根の深い誤読であるように思われた。この作品の冒頭辺に「ただ一つの小さな出来事だけが、私にとって意義があり、私を痼癖から引きはなしてくれる。」とある。「……てくれた」とあるのなら、「私」はすでに自己変革をとげた強い存在になっていると言ってもいいかも知れない。しかしここは「……てくれる」である（原文は「将我从坏脾気里拖開」）。この訳文で読むかぎり「私」は今もなおふだんは「痼癖」の境にいる弱い人物と解する他ない。そうして「この出来事」を思い起こす時に、それを克服する勇気と情熱とを感ずるというのである。

作品の表現をたどって人物像を描きあげるより先に、中国の青年たちの前には、政治的偶像魯迅の姿が大きく立ちはだかっているのであった。この小説と芥川龍之介の小説「蜜柑」とを読み終えてから、私は学生たちに、「二人の『私』」というタイトルで、これら二作品の主人公を比較して論ずるようレポートを課した。「小さな出来事」の主人公「私」の弱さにふれた学生は、全十九名中二名だけであった。（魯迅作品の翻訳は竹内好訳による）

日本映画週間――「追捕」「望郷」「キタキツネ物語」

「追捕」（原題名＝「君よ憤怒の河を渡れ」）

　私が中国に居ります間に日中平和友好条約が締結されまして、中国の鄧小平副首相がその批准書交換のために日本に来られました。それを記念して中国では全国的に日本映画週間が開かれました。上映された日本映画は「君よ憤怒の河を渡れ」（中国訳「追捕」）「サンダカン八番娼館」（中国訳「望郷」）「キタキツネ物語」の三本でした。

　中で一番人気があったのは「追捕」でした。高倉健の扮するある検察官が一人の政治家の死亡事件の深層を追うのですが、上の方から捜査を妨害され、おまけに関わりのない殺人事件の犯人に仕立てられて、逆に警察に追われる身となる話です。恋愛が絡んだり、北海道や銀座を舞台に、飛行機や馬を使いこなした大立ち回りがあって、最後は「悪いやつ」を撃ち殺す……

まことに痛快なアクション映画です。
私は、北京で、中国語吹き替版で見ました。終わって帰りの車の中で、私を案内してくれた大学の事務員の方が、日本では本当にあんなことがあるのか、と聞いて来ました。日本の観客だったら、この種の映画の内容が現実にあることだとは誰も思わないでしょう。だけども中国では映画の中の世界と現実の世界とは地続きで考えられる傾向があります。政府の公式見解などをよく掲載する「人民日報」という新聞がありますが、それに批評が載りました。この映画はただスリルを楽しむだけの映画じゃない。特に終りのところには日本の資本主義社会の矛盾があらわれていて、政界の腐敗などを衝く点で高い思想性が出ている。そこを見なきゃいかん……というように論じられていました。

「望郷」（原題名＝「サンダカン八番娼館」）

もう一つの「望郷」の方は、封切られて間もなく上映中止になりました。青少年に悪影響を及ぼすと判断されたのでしょうね。戦争中、日本の貧しい農家の娘が娼婦として南方の島へ売られて行く話です。これも「人民日報」が取り上げました。「資本主義社会の暗黒面を暴露したものであって、思想性が非常に高い。これを見て社会主義社会の素晴らしさを確信したという観客がたくさんいる、いいものにはしばしば副作用がある。副作用を恐れては何もいいものを受け入れることが出来なくなる」、といった論法でした。似たような議論は「光明日報」という新聞にも載りましたし、TVでも討論会が放映されました。そうして一〇日ばかり上映中止になった後、再び公開されました。言わば新聞やTVで啓蒙しておいてから公開したといった風に見えました。

五〇代の女性の先生は、「望郷」が一番いいと思ったが、映画の撮り方がわかりにくいと言っていました。たぶん、現在と過去がめまぐるしく入れ替わりながらストーリーが進んで行くからだと思います。今の中国の人たちは、飛躍の多い、映像と映像との間を自分の感性でつないで物語を追う事になれていないのだと思います。TVも十分普及していないし、日本のような漫画文化もありません。映画もシーンからシーンへの飛躍が少なく、説明的に撮られている作品が多いようです。

私が帰国する直前に中国では「保密局の銃声」というスパイ映画が封切られました。中国では一九六六年から一〇年間「プロレタリア文化大革命」(通称「文革」)と言われる、政治や文化の仕組みを変えようという伝統破壊的な革命運動の時期があって、そのための啓蒙的な映画もたくさん作られましたが、どの映画もつまらなかったと私の中国人の友人たちは言っていました。「保密局の銃声」は文革以後に作られた最も優れた映画だという評判でした。確かにこの映画は共産党側のスパイと国民党側の秘密警察との駆け引きが、テンポのある映像表現の積み重ねで語られていました。

ただ結末のつけ方に私は違和感を覚えました。共産党側のスパイのボスが警察の追求を逃れて台湾へ高飛びするのですが、いまもこのボスは台湾にいて地下活動に従って中国の防衛のために命をなげうって働いていると結ばれていました。せっかくここまで楽しんできたスリルに満ちたフィクションの世界が一挙に現実と地続きになってくる。作品の世界が現実の秩序で整序されて締めくくられる。これではいつまでも現実を超えられないのではないかと思いました。

「キタキツネ物語」

「キタキツネ物語」については先ほどの五〇代の先生は素晴らしかったと言っていましたが、一般にはほとんど話題になりませんでした。動物の生態を通して物語を浮き上がらせて行くドキュメンタリー映画ですから、前の二作品のように社会主義対資本主義の価値観で意味づけるわけにはいかなかったと見えて、新聞でも批評を見かけませんでした。

私と同じ時期に、やはり日本の「専家」として中国に行っておられた声優のＩさんから聞いた話ですが、ＴＶ番組の「農業と水」と「海中生物」という作品を日本から輸入してそれに中国語のナレーションを付ける仕事を中国のスタッフと一緒になさったそうです。「農業と水」の方は評判がいい。農業に水が如何に大切で、それをどういう技術で確保するか。実用の価値とストレートに結びついている。それに対して「海中生物」の方は科学的な知識を教えるような撮り方でなくて、ともかく美しい海中の生き物を綺麗に撮影した、どちらかというと鑑賞的な番組でした。中国のスタッフはこちらにはさっぱり興味を示さなかったというのですね。「キタキツネ物語」があまり評判にならなかったこととつながっているように思われます。現実の用から離れた作品をそれ自体として楽しむといった映画の見方にはどうもなじんでいないように思われました。

現実の世界とは別の、もう一つの世界を精神的に作って、それを通して生きることの意味を確認しながら、現実の生活を律して行く……私は芸術作品の意味はそういったところにあると思うのですが、今の中国では芸術が現実の生活と地続きのところで理解されていて、作品の中でも現実の道徳や秩序が支配していないと安心できない、といった感じがありました。そうなると作品は現実と妥協せざるを得なくなって、自由な発想が妨げられるのではないかと私は思います。

北京通信抄

結城司郎あて

こちらはやっと夏らしくなりました。四月いっぱいが春で、はじめに迎春花、次いで連翹、すみれ、木蓮、海棠、桃、花大根と、次々に、花が、よくも咲く順序を省略しないものだと感心するぐらいに大いそぎで咲き、ほぼ花が終ったころに柳、楊、槐樹、ポプラといった大木が葉をつけて行きました。これは壮観でした。こちらの人たちは、大体その季節に「春遊」ということをやるようです。貸切りバスで、公園や、山や、ダムなどにグループで行きます。トラックの荷台に何十人も乗って行くグループもあります。皆、運転席に〝春遊〟という色紙をはっていました。日本の「初荷」風景を思い出しながら興深く見ました。

こちらでおもしろいと思うのは演劇です。「北京人民芸術劇院」という劇団がいいという評判で、劇場も首都劇場という一番いいところを専属に使っています。老舎、田漢といった作家のものを観ました。ことばは分りませんが、前もって脚本を読んで行き、通訳の人に隣りに座ってもらって鑑賞します。演技は大抵の日本の劇団より上だと思います。あちこち参観するより芝居を観る方がもっとよく中国人を理解できるという感じがします。

映画はつまりません。飛躍のある映像の展開をつなぐことにこちらの観客は慣れていないのではないでしょうか。まことに説明的で、テンポがありません。小説もつまらないそうです。こういう不平をいうと中国のインテリは、きまって、「プロレタリア文化大革命の前はよかった」と言います。たしかに私がおもしろがっている演劇は、去年ごろから上演が許されるようになったというプロレタリア文化大革命前の作品です。どうも大変なカクメイをやったようです。

＊

文芸同人誌のようなものはどうもなさそうですが、政治的、あるいは思想的散文にまぜて時事詩のようなものは出ているようです。我々外国人の目につきやすいのはいわゆる「大字報」という形のものですが、北京大などでは学生、教職員の中に「四・五評論」（四・五というのは三年前の天安門事件のことです）という、いわば地下出版のようなタイプ印刷のものが出まわっているとー聞きましたが、まだ見ることができません。どうも思想的な変動がはげしいので、インテリの苦悩は深いようです。外国人に思いっきり言ってもらいたいという風にもみえます。中国をほめた紹介記事はもちろん悪い気はしないようですが、辛らつに批判した文章を期待している一面もあることがこちらへ来てみてわかりました。私の知人の、ある日本の大学の先生が中国旅行に来て、ある小学校を一緒に参観しました。その先生は帰国して見聞の事実を書きました。その切りぬきをその時の通訳に見せたら、「これは一般の日本人がよく書くことですね」と軽く受け流されてしまいました。表向きの紹介の裏にある矛盾まで見ていないということのようです。この反応は面白いと思います。

いろいろ書きたいことがありますが、今日はこれから郊外の寺へピクニックに行く約束ですのでこのへんで失礼します。

（一九七九年五月一九日付）

喜多行二あて

お変りありませんか。昨日、北京大学では五・四記念（五・四運動の発生を記念しての意）科学討論会という催しがあり、私も公開講演（というと大げさですが）をしました。前に「光年」に書いた志賀直哉の「新しい母」の分析の焼き直しです。こちらの大学に志賀直哉の全集が三種とも揃っていたのでもう一度読み直してみた次第です。岩波の出版物は出版の都度すべて寄贈されて来ています。

語学研究のうち、文法研究の方はかなり新しい論文までよく読まれていますが、文学研究は日本の水準から見るせいか、レベルが低い……というか、ピンボケにみえます。こちらの新聞（文化中心の）に先日、日本の現代文学の紹介が半面ぐらい使って出ていました。有吉佐和子、山崎豊子、井上靖、松本清張、城山三郎、池田満寿夫、三田誠広、大江健三郎、高橋和巳、三浦哲郎など、私が読んでいない作品もたくさん引用されていましたが、文芸評論というより社会部記者の報道記事といった感じで、しかも相当政治的に読んでいます。

＊

季節では春が最高でした。観光案内書には秋がいいとありましたが、私には、秋は乾きすぎていて気分良くありませんでした。枯葉などが、まるでかき餅のようにパリパリと音たてて道をころがって行きました。春、四月いっぱいは次々と花が咲いて、その開きかげんが、まるで高速度フィルムを見る感じで早く開き、のび、やがて葉が茂ります。梅原龍三郎が北京に花を描きに来たという話を聞いていましたが、さもありなんと思った次第です。

人事は日本とかわりません。人格者もいれば高慢なのもおり、怠けものもおれば事大主義者もいます。社会制度が、徹底して人間が人間を支配し（指導し）、人事の中に〝金〟が介入しないたてまえになっているということは、残酷なものだという気がします。結局、人類はまだ、本当にいい社会制度を発見していないのではないかというのが私の感想です。

日本人仲間でときどき（月二回ぐらい）酒宴をやります。そんなとき、ヨーロッパ人はダンスパーティーを、南米人は楽器をならしながらはげしいおどりを、インド亜大陸の人たちは家庭で会話をたのしんでいるようです。各民族の暮しぶりや意識の特徴をかいま見たのも私の好奇心をかきたてるものでした。

しかしこのごろは好奇心も鈍って、日本へ帰りたい気になっています。もう結構、あとは自分のことをやりたいという感じです。

（一九七九年五月一九日付）

葉　紀甫あて

お変りありませんか。いい初夏と存じます。ごぶさたしてしまってすみません。「光年」への作品ができませんでしたのでどうも気が重くて……。一つだけ詩になりそうな素材が、去年の暮ごろから心にひっかかってはいるのですが……。作品のかわりに今日土曜日は学校がないので（金・土は私はフリーの時間にしています）朝から「光年」の皆様に手紙を書いています。

私の出発前、「光年」の仲間内で一番中国に関心をもっておられたのは葉さんでしたので、いろいろご報告したいのですが、今日はその一、二を書きます。

万里の長城へ二度行きました。第一回目はこちらへ着いて三日目。夏の雨の日でした。この時は観光名所として最高、と思いましたが、この間、黄砂の吹く四月、二度目に訪れたときは別の感懐がありました。見わたすかぎり枯枝で、草一本なく、レンガのかげの残雪が黄砂に染まって、しかし春の日ざしにやわらかくなって、まるで溶けかけたアイスクリームのような無気味なものになっていました。この時は〝大いなる徒労〟を感じました。結果としてこの建造物が一度も役立たなかったということから言うのでなく、これをつくることを命じられた大衆たちはいったい何を考えてレンガを焼き、運び、積んだのであろうということです。〝四つの現代化〟ということばは日本でもおなじみと思いますが、インテリから学生、労働者、中・高年の婦人までこちらではその句をとなえていますが、昔、長城のレンガを積んだのと同じような作業をしている面がたくさんあります。

北京大学の近くに円明園と頤和園という清朝の皇帝の離宮跡が二つあります。近いのでよく散歩に行きます（……といっても日本の公園とちがってとてつもなく広いので、一日で全体をまわることはできませんが）。日本の王族の遺物には例外なく教養が感じられるのですが、こちらのは幼児性といったものを感じます。やたらにかざりたて、建物や、部屋や置物の配置が定型的で意外性や飛躍がありません。今はくずれているところに、昔、王が買物ごっこをするために作った模疑商店街があったという話をきいて私は胸がむかついてしまいました。

街頭でよく喧嘩を見かけます。バスの中でも。私たちのいるホテルに劇場があって、映画は中国人は十銭、私どもお雇い外国人は二十銭ですが（観光客は多分一元）、時に従業員の無料招待があります。先日こんな話を聞きました。従業員の招待日に、招待券なしで入った家族がいたそうです。その気配を察した管理人は、終ってから出口をすべてしめて、一つだけあけ、出る人の招待券をしらべながら客を出しました。ついにばれたもぐりの入場者は、その場で管理人になぐりかかったそうです。どちらが勝ったか知りませんが、喧嘩でけりをつけるとは私の意表をつきました。多分その喧嘩を大ぜいがとりまいて見ていたであろうと想像されます。

山羊の四肢の関節の骨を四つ使って遊ぶ、「拐子《グワイズ》」という女の子の「遊び」があります。これぞ肉食民族の遊び、と私は感じさせられました。男の子のビー玉あそびも執ように敵を殺すといったルールです。私もこちらへ来て十ヶ月の間におそらく日本にいるときの五年分くらいの肉を食べたことでしょう。

とりとめもなく書き出すときりがありません。しかし書いておかないと印象がうすれてしまうと思いましたので書きました。この紙がこちらの人が毛筆でかく書簡箋のようです。中国は紙不足で、本は出版されると必ず行列です。

……八月に帰ります。

（一九七九年五月一九日付）

Ⅳ　北京日録抄

巣　　巣幷自注日録抄
（一九七八年一一月一七日）

出会い（一九七八年七月二一日～一〇月八日）

日々に（一九七九年一月一日～二月九日）

鷹と鴉《ひなどり》と（一九七九年六月一〇日～七月七日）

燕来る（一九七九年七月一七日）

落葉した街路樹（北京海淀区郊外）

巣 并自注日録抄

巣

並木の山ならしが
最初の葉を落とした朝
巣は　身をよじってはにかんだ。
それは　以前わたしが衣服の袖口を気にしたときのように
誰も気づかないしぐさであったかも知れぬ。

それから
樹は

何万枚の葉を冬前のみやこの空へ解き放つことに熱中した。
そうして
もうあるじを迎えなくなった巣たちが
扁平にちぢれ捲き込んでいる後れ毛をそのまま　樹幹にとどまり
見られている。

旅人に見られている。

風もない
みやこの
ただ冷えて行く空気のかたまりにむかって肥え太る
樹の
開きすぎる無数の股間で
世界中から見られている。

一九七八年一一月

一七日　八℃（ベランダ 午前八時）。夏のあいだ、三階の自室の窓を緑に覆ってくれていた山ならしの葉がしきりに落ちる。朝早く、落ち葉掻きの服務員たちの会話が聞こえていたが、もう厚くたまっている。葉が落ちはじめて気づくのだが、山ならしの幹はこんなにも白かったのだ。枝の付け根に、あらわになった陰部を恥じらうように、後れ毛を震わせているカケスの巣。秋口、小枝に揺られながら、葉の裏をつついていた茶色の小鳥は、もう来なくなった。

食堂の前庭の合歓の木はおもしろい。葉はとっくに落ちて、長さ一五センチぐらいの大きな茶色の鞘だけが枝先にぶら下がっている。「あれは落ちないのですかねえ」と岡崎先生に聞くと「どうだったかなあ」と少し考えて、「そのうち落ちます」と言われた。

こうなると松が目立つ。松も植えられていたのだと。松葉にもところどころ茶の斑点の浮き出ているのがある。おもわず「松亦タ紅葉ス」とつぶやいてみる。

出会い

一九七八年七月

二一日　一九時三〇分北京空港に降りた。潘金生先生、岡崎兼吉先生、伊藤友子さん他に迎えられる。運転席後ろの席へ。中央に北京大学東方語言系革命委員会主任 張展英氏、隣に外国人専家局何発桂氏。潘先生が運転手隣の席から半身に振り向いて、途切れなく話しかけてくる何氏の言葉をよどみなく通訳してくださる。天候のこと、機内のこと、日本事情のこと。中国語が話せない事をわびると、「それはあなたの短所ではない。中国語を勉強しようという野心があると、そちらに身が入り過ぎ、中国的日本語を話すようになるので困る」と何氏。いわゆる「四人組批判」をかなり激しい口調で続ける。

賓館に着くと、着到の晩餐が用意されていた。前記各氏のほか、大学外事組専家係 過祖賢氏、友誼賓館通訳 李梅子氏、同館外事組 王圭氏、それに安藤陽子先生が加わって、十人で一つの円卓を囲む。全員良く話題を提供し、宴は和やかにすすんだ。

飛行機が中継地の上海空港に降りる時夕日が沈み、離陸する時月の昇るのが窓から見えた、と私が言うと、岡崎先生が、「蕪村の句みたいだね」と言われた。私には蕪村の句への連想がなかったので、虚を突かれた思いで、慌てて「菜の花は見えなかったですけどね……」と言った。伊藤さんと安藤先生が明るい笑い声で受けてくださったが、円卓の全体にはもちろん広がらない。私はさらに慌てて、安藤先生に「この話、皆さんにお伝えできませんかね」と言った。先生は即座に蕪村の句とその背景について的確な通訳をしてくださった。会話が再び円卓を賑わした。潘先生は終始にこやか。

この先しばしばこのような文化的な背景を感じさせられる会話場面に出会うことだろうと思うと、到着早々に自分の立ち位置を顧みる契機となった岡崎先生の一言は、慈父の恵みと言うべきものであった。

二八日 部屋の壁に中国地図を貼っていると、部屋掃除に来てくれた服務員張申干君（二〇歳前か）が〝Where lived in Riben〟と聞いてくる。私は地図上の松江を指し、〝I lived here〟と答えた。次いで張君はソ連を指して「スーリエン」と言い、ついで、指を四本立てて日本海あたりを叩き、「スーダオ」と言って図上を探している。ようやく「苏联」「四岛」と言っているのだと理解し、「北海道、本州、四国、九州」と、せいいっぱい中国語風の発音で地図上の日本列島四島をなぞりながら言ってみる。張君は頭を振って〝no〟〝small〟と言う。そこでやっと「北方四島」のことを言っているのだと合点し、「クナシリ・エトロフ?」と聞くと頷く。この四島はこの地図から漏れていた。……この、日本地図をめぐる会話に含まれていた国土意識の問題を、中国到着早々に体験したことは自身の国際感覚を振り返らせる強い刺激であった。

午後三時から大学の研究室で、夏休みでも帰省しないで残っていた学生四人と会う。暮らしのこと、学習歴のこと、将来の希望など。率直によく語り合うことができ、学生たちの日本語の理解力を測るのにも有益だった。

U君(男・高校在学中に兵役に。後復帰して卒業、北京の中国葡萄酒工場で働き、そこから推薦を受けて北京大学へ来た)。

K君(女・瀋陽郊外の農場で三年間働いてそこから推薦されてきた)。

ともに二四歳。学費、住居費のほか、月四元を「国家」から支給されていると言う。ほかに月十元くらいの仕送りを家から受けている。将来の希望について尋ねると「まだ考えていない。それに、国家の計画による分配で決まることだ」と言う。「先生や、研究者になろうという人はいないの?」と問いかけると、皆無言。（あとで……潘先生「目の前で〝四人組〟からこっぴどく扱われている光景を見てきているから、先生や研究職につきたいとは思わないのでしょう」）。

S君（女・糸繰り労働の模範工員として推薦されてきた）。（あとで……潘先生「その分野で発揮された能力が、外国語学習で通用するとは限らないですからね。工員のトップでいた方が幸せであったかも知れないですね」）。

J君（雲南省で父とともに大工職人として各地を回る旅仕事に従っていた。それから農村に入り、そこから推薦されて大学へ来た。）（あとで……潘先生「基礎的な教養課程を受ける機会を持たないまま来たので、学習に苦労している」）。

潘先生がこの学生たちの入学直後から、担任のように接し、愛着を持って全人的に関わってきておられることが、ことばの奥から伝わって来る。

一九七八年一〇月

八日　午後七時　友誼賓館在住日本人専家の懇親会をした。会場に自宅提供。昼食時に食堂で案内をする。

落合氏、知人からもらったという「菊正」一本持参。小生宅の「賀茂鶴」およびビール五本。午前一時頃まで。岡崎先生の助言におんぶして酒菜を整える。賓館食堂から五元の皿盛り。他に神崎氏夫妻、石井氏、高橋氏、村山氏、進藤氏参加。

中国社会情勢について耳学問の収穫多し。以下に摘録。

・四人組追放の日は上海にいた。昨日までの看板（政治スローガン）が大きな×印で覆われ、ビルの壁面はぎっしり大字報で埋まった。上へ上へと貼るので紙の厚さが一〇センチを超えるほどになった。

・「文革」の時はすでに賓館で暮らしていたが、マイク合戦がうるさかった。その頃紫竹公園前などは、夜、女は一人で歩けなかった。革命的高揚期には性風紀も解放されるのか、その時期の出生人口が多いと言う。地震の時もそう。地震小屋の昼間は、青少年の格好の遊び場になり、煙草や性遊戯が増えた。

・このあいだ「北京週報」に訳出した中堅幹部の署名論文に「敬愛する周総理と毛沢東」と、従来の順序と逆のタイトルがあった。自分はそのまま訳しておいたが、印刷の段階で以前の順に戻るかも知れない。来週の「週報」を見てくれ。
・今日の「人民日報」に載った周恩来の論文（未発表のものの由）に「毛主席も少年の時から偉かったのではない。古い書物も読んだし、過ちも犯した」という部分がある。毛沢東神格化を、人間回復に向かわせる兆しであろう。

日々に

一九七九年一月

一日　六時起床。来客を迎える準備。ビール一〇本、ジュース二〇本、飴、ピーナッツ、を小売部で求める。

昨日求めておいた蜜柑二五箇、サーディン、牛肉の缶詰、それに昨夜自分で煮ておいたウズラ豆。食堂で買ってきたケーキなど配列。八時一五分頃、孫先生、潘先生と一四人の学生到着。他の五人について、「陳さんは友達のところへ行ったのです」と。すかさず孫先生が、「どっちの友達ですか」と。補足して、ここで「ボーイフレンド」「ガールフレンド」という外来語を教えられた。数名、この語を知らなかった学生もあったようだ。陳さんは二八歳で、クラス最年長と聞いていたので、「ボーイフレンド」の方であろうと私は思って聞いていたが、周さんが「女のともだち」と言う。しかし李桂蘭が「先生の考えは当たっているかもわかりません」と付け加える。李桂蘭は二四歳、王志林は最年少で二一歳。だいたい二二〜二三歳が多い。煙草を吸う学生は二人。

潘先生、余興にお得意の京劇の一節を歌ってくださる。小生は謡曲「鶴亀」を謡う。

一一時全員帰る。

二日　劉金才、劉振泉、李強の三先生、年賀に来訪。研究室の若い先生たちと語り合える貴重な機会であった。マオタイ酒とビールでもてなす。劉金才氏が少し呑むだけで他の人はほとんど呑まない。三人は昨年までともに独身寮にいたが、劉振泉氏が結婚して寮を出た。今年は劉金才氏が結婚の予定という。二人はいずれもいわゆる「紹介結婚」（見合い結婚）だという。劉金才氏は今の婚約者とは紫竹公園で紹介され、交際を始めた。相手の女性は英語ができる由。

結婚式の様子を聞く。

一、毛主席や華主席の肖像に向かって三度お辞儀をする

二、夫婦が握手をする

三、司会者が祝福の言葉を述べる

四、夫婦が結婚に至るまでのいきさつを語る

五、夫婦がお客様に余興を提供する

劉金才氏は何度もこの司会をしたことがあるという。司会は上役などではなく、だいたい、親しい友人がやる。会場は学校の会議室や、教室を借りるとのことであった。

友誼賓館でも昨年暮れに、留学生同士の結婚式が二組あった。一組は日本の女子留学生と華僑学生。一組はパキスタンの留学生同士。日本のような派手な宴会などはないようだった。

三日　授業再開。夜、中国語会話教室に出る。元旦をどう過ごしたか、というテーマでスピーチを課される。なかなか話せない。

四日　気温上昇。はじめて外の氷が溶けるのを見る。靴の裏にぬれた泥がつくのが珍しい。九時、大学「外文樓」へ。三年生の教材資料をプリントに出す。四年生の成績一覧を潘先生に渡す。

今日は日本から輿水先生を迎えるというので、専家室に四つの中国茶の湯飲みがセットされている。九時半輿水先生来室。入れ替わりに私は授業に。

授業終了後、武照安から、クラス全員の卒業記念の寄せ書き色紙を貰う。題字は二年生の書の上手い人に頼んで書いて貰ったという。許晏萍が「自分たちは四人組の破壊によって、小学三年生のとき一年間しか毛筆書道を習わなかった」と言った。

毛筆書道をめぐって、思い出すことがある。以前私は沈開輝から、実家のある昆明で買ったという毛筆万年筆をプレゼントされたことがあった。以前、邢穎がそれを使って字を書いているのをみて私が興味深く思い、使用させて貰ったのをみて、彼はその場で「先生に差し上げます」と言った。その場では断ったのだが、授業後、「哲学楼」（「研究室棟」）の入り口まで私を追って来て、「記念に受け取って欲しい。自分はまもなく昆明へ帰ってまた買うから」と言うので、ありがたく受け取った。日本語の会話がなかなか上達しないで悩んでいた沈開輝のこの行動を私は心から嬉しく思った。私はお礼に、日本のボールペンをプレゼントした。このボールペンは、日本を発つとき大阪空港で宮脇君が私に記念としてくれたものだが、この場面でこのようにして、昆明の沈開輝に渡ることを宮脇君も喜んでくれるにちがいないと私はそのとき思った。

五日　気温温む。道ばたに張っていた氷が溶けかけて光って見える。薄い氷の下に溶けた水が揺らいでいるところもある。発砲スティロールのくずのように見えていた道ばたの雪積みも、黒ずんだ色を少し洗い流し、白みが戻ってきた。

二時から賓館内の講堂で人民大学の先生の「党史講座」を聞く。今回こそは内容有りやと期待したが、同じく絶叫調で上っ面の演説。内容は前もってプリントされ、通訳に渡されている。通訳はそれを読んでいる。時折挟まれる脱線話は訳さない。テーブルの通訳モニターで英語通訳にダイヤルを合わせてみると（日本語ダイヤルはない）英語では脱線部分も訳していた。ただし脱線もたいした内容ではなかった。

夕食後、賓館の「主樓」の売店を覗く。洋酒類が、ドル、フランで買えるようになっていた。ナポレオン（日本円で五、五〇〇円相当）、ウィスキー（日本円で三、五〇〇円相当）。日本の新聞記者らしき人が、日本人客に向かって「北京飯店などでこれが始まったと、先日送稿したばかりだが、ここでも始まったのか」と話している。「茘枝《れいし》の缶詰などは日本にはないよ」など と薦めている。なるほど。

夜、中国故事片（中国映画）「家」（巴金作）を見る。文革前の制作であろう。この種の映画が、いま一斉に封を切って上映されているらしい。学生に聞くと、昨夜の「星火燎原」もそうだという。今の学生は子どもの頃、「星火燎原」を見たことを覚えている。許晏萍の話によると毛沢東の詞（舊詩）「雪」は誰も暗唱していると言う。彼女は私に、昔習った革命の聖地について詳しく語ってくれた。延安、遵義、詔山等の五カ所は革命の「里程碑」だと。テキストに延安の「宝塔」のことが出たとき、邢穎のノートの一頁目にあった宝塔のカラー写真を見せてくれ、「毛主席がここで一三年間暮らして、革命の根拠地にしたのです」と語る。私が「遵義会議のことが昨夜の映画に出たよ」と言うとすかさず、「そうです、そうです。ここで行った毛主席の演説によって、毛主席の指導が確定したのです」と、まるで映画の解説のよう。

最近よく話題になる「卒業教育」とは何をするのですか、と聞くと、「国家のために、自分の希望していない職場に行かねばならない事もありますから、そのことについて、いろいろ心がまえなどの教育を受けるのです」。

「初任給はいくら」と聞くと、「初任給」という単語は知らなかったらしいが、「四三元」とのこと。北京大助手の郭さんの時代は三六元だったというから、最近少し上がったのであろう。

一四日 日曜日なので午後二時、「班車」(ホテル長期滞在者専用の定時運行バス)で市内へ出る。天安門前広場へ。

「英雄記念碑」の周りにぎっしりと貼り出されている周総理没後三周年を悼む手書きの追悼詩をカメラに収める。即座には読みこなせない。

広場のあちこちに人だかり。中央に立つリーダーらしき人物の演説に聞き入っている輪がある。そのうち最大の輪はデモ隊の出発前の演説であったらしく、やがてデモの列を作って出発して行った。両端を二本の竿で張った幕には二行の文字が記されてあり「反迫害 反飢餓/向

郊外 向解放」と読めたように思う。遠くなので不確かだが。天安門広場のバス停から「一路」（公共バスのルート名）のバスで王府井の友誼商店へ。バスはデモ隊が王府井の方へ曲がるのを追い越す。帰り、バスの窓から、中南海門の前に三〇〇人ぐらいのデモ隊が並んでいるのが見える。列を公安や警察が規制したり誘導したりしている様子は見えない。しかしこのような情景をこの国で目にしたのは初めて。

夜、賓館の日本人の間では、このデモの話題で持ちきり。デモの正体がわからない。竹中さんは中南海の群衆に交ってカメラに収めたとのこと。一様に、このデモを見た人はラッキーであった、というような受け止め方である。岡崎先生はこのような野次馬的な取り沙汰の会話には深入りせず、あまり好奇心を動かされぬ風に見える。

一五日 L女史来室。私が明日、一時帰国の予定なので、連絡に寄ってもらった。日本から買ってきて欲しい本の依頼を受ける。「ＵＦＯ」関係の本、ほかに児童文学。終わって雑談。昨日のデモについて。

雲南省の下放青年のデモ隊であろう。プラカードの文字列はあの読み方でたぶん正しいだろう。先日からこの要求の大字報が続いていたから。

その内容は、地方幹部にいびられて（反迫害）、食料も配給されない（反飢餓）、都市へ帰りたくても帰れない（向郊外）、宿舎も娯楽もない（向解放）といった主旨の由。彼らは代表団を組織して北京へ送り込んでいる。北京出身の人は自宅で泊まり、他の者は駅などで野宿しているという。L女史は「あの人たちはかわいそう。私もそのデモに参加したかった」と言う。

夕食時、右の解釈を竹中さん、神崎さんに話す。二人とも皆、ここまでは事件の実態を知っていない。

——L女史はどうしてそこまで知っているのであろう。公式に知らされるルートがあるのか。口コミか。自分で大字報を読みに行ったのか。それとも、彼女の父母はそれぞれ高級幹部なので、情報が豊富なのか。——口々に推測を語る。もと専家局が外交部に属していたときは、午前、午後の二回、外交部の配布する情報文書を読むことが彼女らの重要な仕事であった由であるが、今は国務院直属になってそれはどうであるかわからない……等。

夜、潘先生、張展英氏来宅。私の後任の人選について。

昨日はC君（日語科の卒業予定学生・女）の就職のことで「いろいろあって」来られなかっ

たと。(これまでの情報などから、私の想像では、彼女は北京出身なのに貴州省へ〝分配《フェンペイ》〟になったので、その事を訴えに来たのではないか)。

一六日 五時起床。五時一五分潘先生来室。自転車で。さすがに室内へ入ってから手をこすり合わせておられる。恐縮。正月休みの一時帰国を申し出ていた私のために空港へ同行してくださる。五時四五分タクシー来る。ホテル入り口で学生のE君来合わせ同乗。昨夜潘先生が寮へ行き、この時間にここへ来るよう指示されていたものらしい。寮から歩いて来たと言う。また恐縮。E君は北京出身。科学院に〝分配〟になったと言う。今も寮に残って、同級生が次々と北京を去るのを送り出すつもりだと言う。

空港の手続きは簡単に終わる。空港の待合室には暖房がなく、食堂で待つことにする。包子とお粥をとる。潘先生は、包子には肉が入っているので、お粥のみ。この食事の件は最後まで潘先生が拒んだものである。私も朝食を食べるところがないと言ってやっと同席してもらった。

機中、スチュワーデスは、夏来たときとはずいぶん違って、全員良くサービスの訓練を受けているように見える。冬だからであろうが、腕にマークのついた紺の制服を身につけている。

機内食も七月より良くなっている。

一九七九年二月

九日　大阪空港を夕刻六時離陸。空港へ落ちる夕日が美しい。一月一六日北京を発ったときの美しい朝日に重ねてみる。彼は枯れ枝の彼方に。これはビル街の上に。

隣席に、四〇年ぶりに中国から日本へ里帰りしたという婦人。入国カードの書き方について質問を受ける。見るとＫＳ子・一九二五年生とある。一般の赤表紙のパスポートではなく、折りたたみ形式の用紙に、九月に出境し、向こう六ヶ月以内に入境する旨記されている。日本の厚生省が、終戦後一度も外地から帰国したことのない残留日本人を全額国費で迎えてくれる制度があり、それを利用して実家に里帰りしてきたのだという。（以下、詳細な身の上話。概要はⅢ北京通信抄「ある婦人のはなし」に記した。）

鷹と鶵《ひなどり》と

一九七九年六月

一〇日　日曜日。午前中、たっちゃんと鳥井君の日本語勉強が終わり、寛いでいると、北京大三年生の邵忠君から電話あり。午後に遊びに行ってもいいかと。三時前、姜占国、邵忠、王利の三人が、彼らの友人崔君（北京大学職員・写真部員）を伴ってあらわれる。賓館の門衛処から、右四名が面会に来ているが、入れてもいいかと問うて来る。賓館入り口の門衛の任務を具体的に体感したのは初めて。写真部の崔君は、先頃の天壇公園への日本語科の遠足の折にも同行し、そのとき写した写真は先週木曜日に「中国青年報」に送稿したという。姜占国ら三名は午前中に市内へ行き、新華書店で私へのプレゼントとして次の本を買い、それぞれに献辞を書いて来てくれていた。

『阿凡提的故事』（姜占国から）

『民間童話故事選』（邵忠から）

『中国古代寓話』（王利から）

別に、先日、高知県の「青年の翼訪中団」への通訳実習に行って、贈られたという法被を三着持って来ていて、それを着た姿をカラー写真で撮って欲しいという。三人はそれを着て帯を締め、鉢巻きを巻いて、私の書棚から日本の本を取り出し、並んでポーズを取った。私はその姿をＡＳＡ４００のカラーフィルムで丁寧に撮影した。

四時半、私は、かねて機会を狙っていた海淀区の工員住宅団地の子どもの遊び調査に、通訳として同行してくれないかと三人に依頼した。団地に行ってみると、道路側の煉瓦壁に四人の子どもたちが背をもたせてなにやら語り合っている。近寄って、「何の遊びをしているの？」と問いかけてみる。たちまち、一〇人ほどの子どもたちがあらわれて、我々を取り囲む。姜占国が、我々の「老師」が子どもの遊びを調査したいと言っている、というような説明をしてくれたが、子どもたちの口はなかなか堅い。そこで私から、この前、友誼賓館の従業員アパートの子どもたちに書いて貰った「絵描き歌」の図を出して、これらの図を書くときに、「君たちならどう言うか？」と問いかけてみる。この問いに子どもたちは乗ってきた。唱え方も違うし、もっと詳しい「絵描き歌」がいろいろあることがわかる。

これをきっかけに子どもたちの口がほどけてきた。「一筆書き」や、「一米二米三《イーミーアールミーサン》」、また、「三人一家《サンレンイィージア》」などのジャンケン組分けや「幅跳び鬼」、「騎馬戦」（おんぶ型）などが採集できた。詔忠君に写真を撮って貰う。一〇枚ぐらい撮ったという。最終的に子どもは三〇人ぐらい集まっていたようだ。

一人の五歳ぐらいの子どもが、私のメモを覗こうとしてノートの下へ潜り込んで下から見上げる。ノート面を覗けるように、とノートの手を低くすると、真っ黒く何かが、こびりついた指をしゃぶりながら大きい目玉をぎょろつかせて坊主頭をもたげてきた。

子どもたちは押し合いへし合いで、遊びを演ずるためには余地を開けなければならなかった。一軒の家から婦人が出てきて、密集の中から、自分の子なのであろう、四、五歳の男の子を牛蒡《ごぼう》抜きに引き抜いて連れ帰った。外国人に近づいて、変なかかわりを作っては困るということであろうか。

二歳ぐらいの男の子を高く抱えた男性が近づいてきて、見物を始めた。子どもたちの答えに混じって時々口を挟んでくる。高校生ぐらいの年齢の女の子も二、三人寄ってきた。高校生ではなく、どこかに勤めている事務職員なのかも知れない。

十一日　月曜日。八時、潘先生に付き添ってもらって首都病院へ。先週、胃痛のため授業を休んだので、詳しい診察を依頼していたのだが、今日は気分もいいので全くの健康診断気分。タクシーの運転手はやや年配で、長い間大型車の運転をしてきたが、今日何年ぶりかで小型車のハンドルを握るのだ、といったことを道々問わず語りに語る。そのせいか赤信号でときどきエンストが起こる。病院の正面入り口を入ると、ここも「外国人」用入り口が別になっている。しかしその下にEMARGENCYと書いてある。潘先生は受付に入ってまもなく、この建物の後ろへ回るよう言われたと言って引き返して来られた。数百メートル回ると、「東単」（北京市長安街の十字路）に面したところに七階建ての新館が建っていて、ここが外国人外来専用の棟らしい。入り口で、何国人か、と聞かれる。日本人、と答えると六階に上がれと言う。国別に分かれているのか。六階でエレベーターを降りるとそこに受付があり、二毛を支払う。事務員は中国一般の接客態度に照らしてみるときわめて洗練されたサービスぶりである。椅子に座って待てと言い、自分で診察室へ行き、患者の来たことを医師に告げ、カルテを置いて戻ってくると、五番の診察室へ、と促す。診察室には一人の先客あり。東洋人のように見えた。その人が終わって、五〇年輩で、頭の形良く禿げた、赤みがかった肌をした、大柄の、一見西洋人のような印象の男性医師の診察を受ける。診察室内にはほとんど物が置かれていない。医師の前の机上に英文の書物が一冊。丸椅子の上に受付から回したカルテ。医師の背後にベッド。椅子二脚。一脚に私、他の一脚に潘先生。

医師はゆっくりと丁寧に症状を聞く。十数年前に胃下垂との診断を受けたこと、これまでも疲労が溜まったり、風邪を引いたりすると胃が痛むことがあったこと、最近夜中に目覚めると胃のあたりに痛みを感じることがあること、満腹の間は痛みを感じないことなどの自覚症状を話す。医師からは、最近は胃下垂という言葉は使っていないこと、バリュームを呑んで検査してきたと言っても、それで原因が発見できるのは五十パーセント程度、胃カメラで見て七十パーセントだ。胃の位置はその人の体形によっていろいろだから、胃の位置でもって病名とするのは不合理なこと、痛みがあるとすれば胃潰瘍と関係があるだろう、などと話したのち、結局今回は胃潰瘍の治療薬を出すという。食前、食後、それに痛み止めの三種。

終わって、東単と王府井の新華書店へ寄る。中国でもようやく出版が回復しつつあるようで、関心を引く主題の本が目につくようになってきた。見逃すと、またいつ出合えるか分からない、という気になって買い求めているうち、一抱えほどの嵩になってしまった。

午前中の授業を午後に回して貰ったので、病院行きの件が学生にも伝わり、王利が、「昨日私たちがお邪魔したからそれで先生は病気になったのだから我々に責任があります」と言った。首都病院で処方された薬のうち、一種類はかみ砕いて呑むように指示されたが、強く舌を刺す刺激があり、これではかえって胃壁にこたえるのではないかと気になる。

夜、賓館の中国語会話講座。前半だけ受講し、早めに帰って寝る。疲労感あり。

十二日 午前中三時間授業。午後は体がだるく、昼寝をして過ごす。

十三日 朝、大便を見て驚く。真っ黒。薬のせいか、または胃腸の出血か。痛みは和らいでいるが、心理的な不安感あり。

十四日 午前中一時間、東語系（東方言語学部）図書館で『文学評論』二号に載った柯岩氏の論文「漫談儿童詩」を読む。読み終わらぬうちに時間が来た。

朝、三〇分、竹中さんとテニスをしたので快く昼寝ができた。

午後二時半から友誼賓館の学術報告庁で民族学院の教授による中国少数民族の現況についての報告あり。全体についての概括的な話。他のこの種の報告に比べれば具体的だが、雲南民族学院の副校長のような具体性はない。が、あの人と共通した磊落な人柄を感じさせる。少数民族の調査などで鍛えられた人は同じような傾向を帯びるのであろうか。若い研究者数人を同行し(その中には少数民族出身の人もあった)、時々その人たちに聞く。そのうちの一人、四〇代の研究者がいつもてきぱきと答えて講演の補助をしていた。

夜は小説『八甲田山』を読みながら十時まで寝転んで過ごす。

十五日　朝の便、期待していたが、昨日よりやや黒みが薄れた程度。いつもの黄色には戻らない。舌を出してみると青黒い筋が二筋見える。朝食は自室の電熱器でお粥を煮て食べる。頭を休めるつもりで一日ぼんやりと過ごす。ゆったりと回復を待つほかない。夜の映画会にも行かなかった。

十六日　朝便、正常に戻る。とたんに気が晴れて〝很愉快《ヘンユークワイ》〟である。夜、神崎さん宅に夕食に招かれる。冷や奴、味噌汁、糠味噌漬け、人参・筍・じゃが芋・油揚げの煮しめ、と、純日本家庭料理、それに日本から真空パックで届いたウナギの蒲焼き！

七時半まで話して帰る。

十七日　日曜日。午前中、たっちゃんたちの「国語」の勉強会は断って、二十三日予定の師範大学での講演原稿を書く。これは月曜日に通訳準備用としてＬ女史に渡すもの。舟木先生に依頼して送って貰った五冊の文献には一応目を通した。「日本保育内容史」「学会誌・幼児教育研究（大学の保育学科のカリキュラム、舟木先生の論文所収）」「カリキュラムの考え方と作り方（「舟木先生著）」「幼年期の教育（近藤、舟木、西山各先生共著）」。

午後二時半、先週のメンバーで再び子どもの遊び調査に行く。建築資材を扱う「市政第四公司」の従業員宿舎団地だという。近くのバス停の表示を見ると「紅民村」とあった。神崎氏ご夫妻が興味を寄せて下さり、調査に同行。五時まで調査。男の子の鬼遊び「老鷹抓鶏《ラオインジュワジー》」（鷹がひよこをさらう）が見られたことは収穫だった。これは日本の子どもたちにも教えたい遊びだ。

調査に夢中になって時間の推移を忘れていると、神崎夫人から「そろそろ帰りましょうか」

と声がかかった。そのとき、子どもたちはあらたに地面になにやら線を書き始めており、もう一つの遊びを始めようとしていたところだったが、次回を約して切り上げる。帰り道、ふと「あの遊びは二度と見られないかも知れない」といった思いにとらわれる。

賓館の「小売部」に西瓜が出ていたので神崎さんと半分ずつ買う。喉が渇いていたせいか、格別美味。一人で残らず食べた。

十八日 月曜日。便は快調。先週の不調がまるでウソのようだ。依頼されていた原稿の完成の見通しが立たなかったことが不調の主因であったか。ようやく論文の構想が固まり便が黒から黄にもどった？

六時二〇分出発、「前門」の広和劇場へ老舎の「方珍珠」という芝居を見に行く。内容は「名優の死」（田漢）に似ている。共産党政権による解放後、主人公の女性が思想解放されてゆく筋書きは「女店員」の焼き直しに見える。脚本もそれほどいいとは感じられない。役者も、方太太を演じた魏喜奎を除いてあまりうまくない。特に主役の若い女優。しかし「北京曲劇」という演出スタイルは初見。舞台転換が鮮やかで、心理独白を歌で描写しつつ劇が進む。芸術顧問の候宝林は名のある漫才師。「文革」の時、批判されてもなお滑稽なことを言って観客を笑わせることを止めなかったという。捕吏が来たとき、前もって三角帽をかむって待っていたというエピソードの持ち主。

第五場の序幕音楽が鳴り出すと、隣席のＬ女史が「あ、これで解放されました」と言った。「音楽で分かるのですか」と聞くと、「解放の時を表すのに良くこの音楽を使います」と言う。次に演奏された曲も解放直後に流行った歌だという。この劇のストーリーは、国民党支配下に、天橋劇場で実際にあった出来事を素材にしているとのことであった。

神崎夫人の友人にＮＨＫで中国向け日本語講座を担当している人がある。中国からＮＨＫへテキストを送ってくれと手紙が殺到している。何万部という単位で寄贈している。あまり多いので中国大使館に版権を譲る交渉に行ったら、要らぬと断られた。そのことを大使館の上の方の担当者は知らなかったという。

また、神崎夫人が長春（新京）の中学で同級生だった女性の方で、中国の人と結婚して現地に住んでいる人のもとへこのテキストを五部送ったら一部しか本人のもとには届かなかった。手紙に五部送ったとあったので税関に言ったら、おまえ一人で五部も要らないだろう、という返事であった。「個人」ということについての考え方の違いがよく見えるエピソードである。NHKが「シルクロード」の撮影交渉に来たら、風景撮影料として六億円を請求された。NHKは値切って二億円で手を打った、という噂話も。

十九日　火曜日。まるで日本の梅雨。ひんやりと気持ちがいい。中国に来てはじめて布靴に水がしみこむ体験をした。

教研室でF先生と話す。新華社の記者で最近日本駐在を終えて帰国されたご主人も日本の気候になれてしまって北京は暑いと言っていた。しかし食べ物は中国のものがおいしいと言って、毎日トウモロコシのお粥ばかり食べていると。共感。

「今度は先生もご夫君と一緒に日本へいらっしゃるといい。特派員の仕事も増えてゆくでしょうし」と言うと、「日本側の受け入れさえ整えば実現できるだろう」と。

明日は北京大前の「六郎庄」という農場へ学生たちみんなで麦刈り（「抜麦子《バーマイズ》」）に行くとの

こと。午前三時から。午後は授業があるが、皆疲れて身に入らぬだろうというので、私の学生向けの授業も、若手教員向けの講座もお休みとなった。

昼、岡崎先生のご長男みえる。名古屋市労働者代表団二十七名を案内して。

午後、次の講座の準備。

二十日　水曜日。小雨。　できれば学生たちの麦刈りの様子をカメラに収めたいとカメラ持参で大学へ行く。同行を約していたF先生あらわれず。学生たちは一〇時には労働を終えて寮に帰った様子。「文革」中に日本に届いていた情報では、こういうときには先生も学生も一緒に労働に行くとのことであったが、もうそういう名残は見られなくなったようだ。F先生の体験談では、「文革」中、北京大の先生たちは南方の幹部学校へ行き、住居を作るところから労働を体験し、田植えから取り入れまでやった。初めて米ができたときは皆でお祝いをしたのだという。全く研究どころではなかったということがよく分かる。

二十二日　金曜日。　晴れ。　かなり暑い。

午後二時半から連続講座の二回目。「文章の定量的観察と定性的観察」。朝日新聞の記事を素材にして文体観察の実際について話した。潘先生が顧海根先生に向かって、しきりに「面白い（〝很有意思〟）」と言ってくださっているのが聞こえる。「何事も調べてみなければ分からない」と。徐先生が「事実の伝達を意図する文と、主観的伝達を意図する文との区別の根拠は何か」と質問された。これはポイントを突いている。文の成立と「陳述」の分類をこのような文の表現意図と関連づけて観察してはどうか、と説明したが、自分自身にも曖昧であることが自覚される。

教研室の先生方に本をプレゼント。顧先生に論文コピー各種。徐先生に『日本の言語学 文法Ⅰ』。潘先生に『源氏物語』（岩波文庫）。石先生に芥川賞の作品『伸子』、吉行淳之介『夕暮れまで』、評論『文学の条件』。他に雑誌『ことば』その他を若い先生たちで分け合っていただくよう石先生に託す。

夜、青年芸術劇場で、ブレヒトの「ガリレオ伝」観劇。首都劇場の人民芸術劇院より洗練された感じ。仕草も日本の新劇の演技に比べてより欧風を感ずる。竹中さんにこの感想を語ると、日本ではわざと日本化して演ずるという試みもあるのではないかと。なるほどと思う。今日の切符は落合さんが『北京週報』に頼んで二枚とって貰っていたところ、一枚余ったと言われて私が譲って貰ったもので、車代も合わせて完全な招待を受けてしまった。青年芸術劇場は広さも首都劇場より一回り小さく、この種の演劇を観るのには手頃であった。

二十四日　三時、邵忠、劉彤、高蘭雲の三学生来る。四時半まで潘先生を交えて雑談。そのあと、今朝、たっちゃんから貰ったビー玉三〇箇を持って紅民村へ行く。雨が降り出したので、先週の男の子たちに皆で分けるようにと伝え、そのまま帰る。一人の男の子が「来週も来るか」と聞く。「晴れていたらきっと来る」と約束して帰る。「再見啊」と手を振ってくれている。だいぶ打ち解けてきた。この調子であと二、三回通いたいものだ。

二十六日　夜、L女史来室。幼児教育の本を貸す。翻訳紹介したい様子。いきなり一つを読んで紹介するということを考えないで、まず自分が専門に深めたい部分の知識を身につけることが先だろう。しかる後一つの論文が日本においてどういう位置を占め、それを今中国に紹介することがどんな意義を持っているかという事について一定の見識を持って訳すべきだと言うと、彼女は「ハイ、ハイ」と言っている。ちょっとお説教じみた物言いになったかと反省。Lさんのこの前の「児童文学」熱は冷めたのか。

入れ替わりに潘先生来室。文芸評論の話をする。先日の唐月梅氏の日本文学紹介の記事に関して、小説の思想性や素材ばかりに目を向けていて、表現（こちらで言う「芸術性」）を問題にしていないという私の意見について、劉振瀛《えい》先生にも話したと言う。その返事については触れず、先日の「人民日報」に載った「文学批評応該芸術分析」という論文を持参し、「ここに先生の言われた論旨と同じ主旨が論じられている」と。その論文を日本語に翻訳していただくよう依頼。中国の文壇話題の紹介として意義があると思う。

以下、話題は文芸に関する中国共産党の指導という問題について。

T＝現状では一般の「大衆」を、エリート集団である「共産党」が指導するという考え方に意味があるとしても、大衆自体が「高まった」時にはどういうスタンスをとることになるだろうか。

H＝共産党の指導ということは変えないだろう。

T＝党の指導も誤ちを犯すことがある。（例えば「四人組」の出現はその一例）。それを修正できるだけの質の高い「大衆」が育っている必要があろう。私が暮らしてきた日本の場合は、一つの党が大衆を指導するのではなく、複数の党の政策を比較して、その中から民衆が選択する。この方式が成功するためには民衆の識見が高まっていなければならないが。

H＝確かに「四人組」のような過ちが出る可能性がある。だから今、中国は「民主」を拡げようとしている。

T＝私は文学が現実の世界を直接導くものとは考えていないで、文学の教育的機能ということがあるとしても、それは人間性の真実を見せているのであって、今の世界よりもむしろ来たるべき次の世界に賭けていると考えたい。

H＝中国の文学観は現実の反映論である。今なら「四つの現代化」に役立つようなことを文学に描くのだ。

T＝教育の対象である子どもたちは、四つの現代化が実現した次の世代を背負うべき人であろう。その人たちに現代の価値基準でどれほどのことが与えられるだろう。

ざっとこんな会話。交際一年、ようやくこんな会話を交わすことができるようになった。それは二人の間に信頼関係が育ったからでもあろうが、中国社会自体が思想的に解放されてきたということでもあろう。

＊

一九七九年七月

一日　午後、紅民村へ子どもの遊び調査に行く。劉彤、詔忠、王利の三名が　同行してくれる。前回は、道路に近い空き地で調査を行ったために、録音テープに自動車の音が入っていたので、今回は団地の裏側の空き地で遊びを展開して貰う。脇に一メートル弱の水道柱が立っており、下に排水用のコンクリート枠が設けてある。この四〇世帯あまりの集合住宅共用の飲用水道蛇口はこれ一本のみという。

初めに子どもたち全員で記念の集合写真を撮る。そのとき、いつも中心になって遊びをリードしていた小学三年の劉君がプレゼントだと言って小型のビニールカバー付きの手帳をくれた。第一頁上端に「中日友好／万古長青」と二行、第二頁上部に寄せて「送 日本叔々 留念」、数行開けて下部に「中国　北京小朋友／劉明徳　送／1979.7.1」とブルーのボールペン字で記されてあった。次いでもう一人の小学三年、王宝軍君がガラス細工の虎の置物を。虎の頭には「王」の文字が入っている。王君が自分の宝物にしていた置物だったのではないか。

遊びが始まって、今日も、あっという間に五時半になっていた。

「半喇叭」という男の子の陣取り遊びを採集する。このときのチーム分けの方法も面白かった。二人のリーダー、王宝軍と劉明徳がジャンケンをし、勝った方が一人ずつ自分の味方をとってゆく。四人ずつの組ができると、そこでジャンケンを止め、四対四。

女の子は「猴皮筋」を、四角に張って四人のチームで競うゴム跳びをやって見せてくれた。三年生の李国英が一番上手い。遊びが終わると彼女は「猴皮筋」用のゴム紐の半分をくるくると巻いて私に差し出した。これをあげるというのであろう。「謝々！」「我想送猴皮筋向日本小朋友、可以嗎？」と聞くと、大きく、恥ずかしげに頷いた。李国英は前回一人だけでゴム跳びをして見せてくれた女の子で、私は彼女に、以前酒井先生から送って貰っていた輪ゴムをつないだゴム紐をプレゼントしていたのだった。

別に子どもたちみんなで作ったという折り紙作品をビニールの袋に入れて贈られた。私はその場で袋から出して、地上に並べ、みんなの前で写真に撮った。折り紙の用紙はすべて外国の機器類のカラー刷りの宣伝パンフレットを正方形に切りそろえたもの。彼らの父母たちが工場関係の展示会などで貰ってきたものなのであろう。

別れるとき子どもたちは十分名残を惜しみ、いつまでも手を振って、今日、遊びの合間に学生の王利君が教えていた日本語で声を揃え、「先生さようなら。またいらっしゃい」と言った。この情景に私は大変大きな充実感を覚えた。帰り道、一人の男の子がずっと付いてくる。どうしたのかなと思っていると、すっと近づいてきて、一冊の手帳を差し出した。ビニール表紙の日記帳。「越軍」と署名があった。「老鷹」の役をおどけた身振りで巧みに演じた子であった。

今日は中国へ来て最も充実感に満たされた一日であったと思う。胃の痛みがすっかりなくなって鼻歌が出ているのに気づいた。

班車で友誼商店に行き段ボール箱を買って帰る。一個六元九〇銭とは、案外高価である。しかも大型で、本を入れて送り出すのには扱いにくいが、他にないのでやむを得ない。他に三元で、天目茶碗（陳列棚の表示は「硫州焼」と読めたがどういう窯か不詳。）を一個買う。夏茶碗として使えるかと思ったが部屋で手に取ってみると小ぶりすぎた。

二日　八時に潘先生、友誼賓館の門まで来てくださる。歩いて、近くの人民大学付属中へ参観に行く。初中一年生と高中一年生の授業を見る。初中一年は神崎のたっちゃんのクラス。国際班と呼び、アメリカ、インドネシアなどの子どももいる。これまで四回くらい外国人が授業参観に来たことがあると、たっちゃんは言っていた。いずれも復習の授業で、今日は古文の虚字の用法を解説していた。始業時間開始と同時に授業が始まるのには感心した。第二時の高中一年生のクラスに行くのが二、三分遅れた。すると先生は廊下に出て私たちが到着するのを待っていた。黒板にはすでに今日の教材に使う説明例文が板書してあり、プリントが参観者にも配られる。

午後、大学へ。日本語科の授業を、午前に参観の予定を入れたため、午後に回して貰っていたので。

三日　午後、石先生より電話。明日の講座は崔先生の訪日報告と重なったので日延べしてもいいかとの問い合わせ。ＯＫの返事をする。

五日　午前九時登校。一班の最後の授業。ドーデーの「最後の授業」をテキストに用いる。素材に入れ込んでセンチメンタルにならないよう、淡々と進めることにつとめ、その点は成功したと思う。

午後は二時半登校。若手教員向け連続講座最終授業。「第四節　文章の構造とその解釈」と題して。大後美保「畑の霜除け」という説明文教材と、宮沢賢治の「やまなし」とを素材に一時間ずつ講話した。終わって石先生から次のような主旨の謝辞があった。我々の教学の盲点を突かれた思いであること、もっと早くからお願いすべきであったと思ったこと、日本へ帰られてからも通信で我々に指導をいただきたいこと。

儀礼的な挨拶にとどまらない実感が伝わって来、嬉しく思った。

微視的な文法解説と例文作り、それに日文中訳にとらわれる傾向の見えた北京大の日本語教育に、文章の全体構造を見る、テキスト読解のための文章解析へと関心を開いたところに小生赴任の意味があったであろうし、通訳養成にとどまらず、翻訳者あるいは研究者養成の任にあたらなければならない北京大学には必要な視点であったはずだと思う。

六日　八時半から十時半まで二班の授業。この前の麦刈り（「抜麦子《バーマイズ》」）の労働参加のために欠けた三時間を補う意味もあり、今日の補充授業で二つの班の授業進度を揃えて前期試験に臨むことができた。

（たっちゃんによるとこの期の労働参加を「三夏労働」というのだそうだ。一方、竹中さんによると一外附中（北京外国語学院附属中学）ではこの労働に参加しないで勉強をさせるようにとのことで、参加予定日の当日の朝になって北京市から取りやめの通知があったそうだ……が、その話はどうも信じられない。たっちゃんの通っている「人大付中（人民大学附属中学）」は二〜三日間も労働に参加していたのだから。）

授業は、初めて第一教室楼で行った。ここも、校内を走る自動車やトラクターの音がやかましい。北京大もそのうち校内の自動車通行を制限するようになるだろう。その時期はいつか、また、どんな方法で実施するか、興味がもたれる。

十時四十分、哲学楼三階へ行って鄭先生の日語会話の授業を参観させていただく。潘先生はさらに残って私の授業の後の二班の補導（学生からの質問や難解箇所の補足指導）をされた。蒋君が私を鄭先生の授業教室まで案内してくれた。途中、大図書館前のセメント上に白墨で「絵描き遊び」の落書き絵が残っていたのでカメラに収める。
　鄭先生の授業は、先日参観した顧先生の授業を受講していたクラスと同じクラス。①同じく田中正造の事績について述べた別の教科書の文章を読み聞かせ、②単語の解説をし、③内容について先生が学生に問いかけ、④学生がその問いに答えるといった展開。

七日　土曜日。午前七時から竹中さんと賓館のテニスコートでテニスをする。ラケットを帰国便の荷物にしまうので打ち納めを申し出、今日に決めたのである。先客有り。英語を話す東洋人。終わるのを待って、七時四五分まで打った。
　八時半、タクシーで、竹中さんとＬ女史に案内を依頼して民族学院へ参観に行く。少数民族語文系主任の馬学良先生自ら説明に当たってくださった。拙著『田植歌本集』と『昔話集』二冊を献呈。お返しに『少数民族詩歌選』『同歌曲選』を馬学良先生からサイン入りでいただく。民間伝承採集時のエピソード、中国の民間文学研究の当面する悩みなどを率直に語ってくださった。とても充実した参観であった。ことに雲南省で彝《イ》族の民族起源を語る伝承叙事詩の採集にあたられた折の苦労話には心打たれた。馬学良先生は、今は、昔話よりこの種の伝承叙事詩の蒐集と整理に没頭しておられるようであった。

夜、七時半、岡崎先生のお宅で私の送別会を開いてくださる。出席は他に、村山さん、進藤さん、鳥井さん、竹中さん、神崎さん夫妻、高橋さん夫妻、落合さん夫妻、それに伊藤友子さん（迅ちゃんも一緒に）。一二時半まで語り合う。酩酊の落合さんを、鳥井さんと二人して抱えて帰る。神崎さんから、成都で求めたというチベット族の山刀を記念にいただく。成都はチベットへの起点に当たるので、この方面に住む少数民族の人たちのための日常生活用品を売る百貨店があるとのことだった。謝意を句に託す。

　惜別の　合歓散りかかる　胡地の剣

酔余、句会。参会の皆さんから以下のような句をおくられた。

　月青く　北京の夏や　合歓の花　　村夫子（村山氏）

　子等と遊ぶ　真面目姿や　田中さん　　神崎氏

　海遙か　島根に渡す　天の川　　高橋氏

　送りましょうか　送られましょか　今宵　別れの句会かな　　湖城（落合氏）

神崎さんは先日紅民村の子どもの遊び調査に同行してくださった折の嘱目だという。湖城氏、都々逸風にはしゃいだ破調の上句に、「今宵　別れの句会かな」と下の七五を付けられてみると、賑やかな宴席の向こうに参会者それぞれの境遇が揺らめいて見え、感深きものがあった。

燕来る

一九七九年七月

一七日　八時に郭さんの宿舎へ行く。去年の夏、雲南省西双版納で録音して帰った、水掛祭りと、傣《ダイ》族の地名起源伝説の翻字の点検。しばらく作業が進んだところで、今日は郭さんの隣室の蒙古語科の若い女の先生、呉新英さんの結婚式があると郭さんが言う。

「どこで?」

「ここです」

「ここ」とは、この女子宿舎「紅二楼」のテラスのことだという。見ると、テーブルが二つ。茶杯が数個。ヒマワリの種を盛った皿が四枚。私は驚いた。親友の結婚式よりも外国人専家の依頼が優先されなければならない理由は全くないのだ。

「それはおめでたい。郭さんも出席してお祝いしてあげなきゃあ。水掛祭りの録音の翻字の点検なんて、あとでいいんだから……」

機器を片付けていると、郭さんと同室の鄭先生に呼ばれた。ちょうどいい機会だから私もその式に参列してくれないか、という誘い。こういう次第で参列することになった結婚式の模様は別に記した（Ｉ「結婚披露宴」）

＊

午後二時十五分、日語教研室が、私の帰国に当たって開いてくれた送別会に出る。岡崎先生、鳥井先生、久保田先生と、北京大の日本語専家全四名。それに日語科教研室の教職員の皆さんそろって参加してくださった。惜別の情あふれる。身に余る感激があった。次第は次のようであった。

孫宗光先生の司会
張展英 東語系副主任の送別の言葉
潘金生先生の送別の言葉
岡崎兼吉先生の送別の言葉
私の謝辞

劉振瀛先生の音頭で乾杯

以下　歓談

張展英氏の送別の言葉から

これまで自分たちは古い友人とつきあってきた。田中先生とは新しい友人としてつきあいはじめた云々。――（この挨拶の中の古い友人というのは、国交関係のなかった時期、いわゆる「日中関係」の人脈を通して招かれた人たちといったほどの意味であろう）

岡崎先生の送別の言葉から

先生は私が北京大学にもたらしたものとして、二つのことを挙げてくださった。

一つは北大の日本語科に初めて日本の「国語教育」の方法を持ち込んだこと。これはこれからあとに残る我々が北大の日本語教育の中へ位置づけて継承の仕事をしなければならない。――（「国語教育」云々のあとに、「日本語教育としてどうなのかわかりませんが」と添えられたことばから、私が行ったここでの日本語教育実践に、十分こなれぬところがあったろうということを改めて感じさせられた。）

今一つは生活人としての一面。最近、若い人が日本から「専家」として来るようになったが、この人たちの行動には自分の目から見て首をかしげるものがある。しかし田中先生の人柄や他の人とのつきあい方を見ていると、田中先生の行き方なら、それは頷けるという気がした。これは自分に一つの教育を与えるものであった。——具体例は挙げられなかったと思うが、おそらく、経済的、あるいは生活的な面で見え隠れする、現在の日本の優位性をかさに着て、上から目線の生活態度でいる「専家」のあることを苦々しく感じてきておられたのではないか。「田中先生の行き方なら、それは頷ける」ということばから、①私（田中）の暮らしぶりにもそれはある、②しかしその上に立って（あるいはそれを利用して）相手に謙虚に学びまた寄与したいとする暮らしぶりが見えたということであろうか。これはありがたい評価で、私の生き方に自信を与えるものであった。

私の謝辞

私が中国に参りました一九七八年七月二一日は、日本と中国との平和友好条約の締結交渉が始まった日でした。八月一二日に条約は締結されました。私はそのことを北京大学が手配してくださった南方旅行の途次、柳州のホテルの庭で事務局の王さんから伺いました。

それからあとの中国の変貌といいますか、発展はめざましいものでした。この、「時代の鼓動」を日々自分のうちに感じ、そのエネルギーに圧倒されながら、自分を鼓舞しつつ、私に期待されている筈の任務に没頭して参りました。とても楽しい、充実した一年間でした。成果のほどについては後の評価をいただかねばなりませんが、次の時代の中国を、日本との関係に目を配りながらリードして行ってくださることになる、北京大学の若い学生の皆さんの、この一年の成長過程の伴走者の一人であったということは末永く私の人生の誇りとなる体験でありました。

北京大学の日語科に蓄積されてきた研究的な厚み、学究的な環境に触れたことも大きな刺激でした。

一例を挙げますと、東語系の図書館に日本における『源氏物語』の伝本研究の第一人者であります、池田亀鑑博士の、和綴じ・帙入りの『校異源氏物語』が収められています。『源氏物語』が成立した一一世紀来、何度も書写を重ねるうちに生じてきた多数の異本の系統を整理して、本文を校合できるようにした、『源氏物語』を研究するための、基本中の基本の図書です。

一九四二年に日本で一〇〇〇部だけ印刷されたと聞いています。そのうちの一冊が本学の東語系図書館の書庫に入っている。一九四二年は日本と中国は戦争のさ中でありました。私が驚いたのは、この本の布張りの帙の縁がすり切れるほど読み込まれていることです。私も学生時代、この『校異源氏物語』を机上に置いて、一一世紀頃の日本語の語彙や文法現象の調査をしたことがありますが、帙がすり切れるほどに繰り返しては読んでいません。

近代文学の例を挙げますと、志賀直哉全集。東語系の書庫には一九三〇年代の初版が入っています。所々赤鉛筆で印が付けられています。志賀直哉の小説を、娯楽的に読んだのではないことがその書き込みによってうかがわれます。あとの二つの版は大学図書館にあります。すべて出版元の岩波書店からの寄贈本でした。一九五〇年代に出版された「新書版」には、借り出した人のサインが残っています。七五年版はまっさらで、未だ誰にも読まれた気配がありません。これら三様の『志賀直哉全集』の姿は、北京大学がたどってきた研究環境の変遷を良く語っているように思います。

学生諸君の勉学態度。きわめて勤勉であることに驚きました。これは一般の日本の大学生は完全にかなわない。全寮制で、早朝六時から夜の九時まで、ぎっしりと勉学時間が組まれており、日本の大学生なら、年中「合宿研修」に参加しているように思うでしょう。私は帰国したら日本の学生たちに、北京大学の学生諸君の勉強ぶりを伝えて、日本の青年を叱咤激励しなければならないという焦りを感じています。

続いて、劉振瀛先生の音頭で一同乾杯した。あわせて先生は私に、送別の漢詩を贈ってくださった。

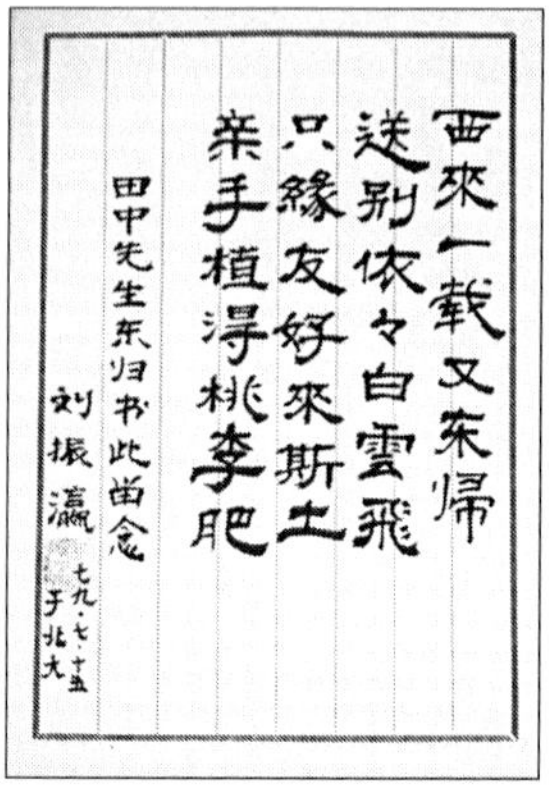

西来一歳又東帰
送別依々白雲飛
只縁友好来斯土
親手植得桃李肥

田中先生東帰書此留念

劉振瀛　　七九・七・十五　于 北大

（拙訳）西に来たりて早や一歳　いま東へと帰られる
別れの名残尽きもせず　白雲のみぞ追ひすがる
只　友好の縁により　遙かこの地に訪れて
手づから植えし桃李　瑞々しくも実るかな

答礼とするにはあまりに貧しいが、即席の返句。

日語課文　読み了る日や　燕来る

（七九・七・一七　于 北大日語教研室送別会）

即座に 劉先生は拙句を中国語に訳し、下句「燕来る」について参会者に解説してくださった。「この鳥は国と国とを行き来する鳥である。だから田中先生は再びもどって来るという心を込め、また、これを機に我々との行き来、交友を深めたいという願いを込めてこの句を詠まれたのであろう」。

隣に座っていた久保田女史が「作者の意図以上に深く読んでもらったわね」と私の脇を突いてきた。

V　北京回顧摘録

中学生と語る

北京戒厳令と生徒会

校旗と国旗と中学生

桃花潭水　深千尺

民話を語る

兄弟分家 ― 彝《イ》族の民話

阿当《アダン》火種を探す ― 回族の民話

回族の民話を聴く
(寧夏回族自治区銀川市郊外の農家で・1992年9月15日)

中学生と語る

一九八九年四月から一九九三年三月まで、私は勤務する大学の教育学部附属中学校校長を兼務した。折に触れ北京滞在中の体験や所感を中学生に語ったり寄稿したりした。以下はその抄録である。

北京戒厳令と生徒会

一九八九年五月二〇日

みなさんが将来、大人になって、世界の現代史を書く立場に立ったとしたら、一九八九年のところをきっと太字にして、「社会主義体制をとっていた国々の民衆の中から、いっせいに体制改革運動が起こってきた」といった説明を書き加えるのではないでしょうか。

一九八九年五月二〇日は、私にとって特別に印象の深い一日でした。その日、附属中学では生徒会の総会が開かれていました。途中、休憩のおりにわたしは校長室にもどってテレビのスイッチを入れて驚きました。この日午前一〇時、北京に戒厳令がしかれたと、アナウンサーが緊張した面持ちでニュースを読み上げていました。中国ではこの年の四月一五日に、胡耀邦という、若者に人気のあった政治家が亡くなり、その人を追悼する集会をきっかけに、若い人たちを中心として中国政府に対する民主化要求のデモや、ハンストが続いていたと言います。中国政府はこの状態を「動乱」と判断し、軍隊を出動させ、戒厳令をしいて秩序回復をはかったのです。

私はちょうど十年前、北京大学で学生たちを教えたことがありましたので、ひょっとしてデモの中に顔見知りの青年が写りはせぬかと、このひと月、テレビの中国報道を関心持って見ていました。もちろん、天安門広場で軍隊と民衆との衝突が起こるなどということは思いもよらぬことでしたが。北京戒厳令のニュースを聞いた後のわたしの感想は、

「ああ、人類はまだ、人々の意見をとりまとめる方法として、これがいいというやりかたを見つけていないのだなあ」

というものでした。

休憩のあと、生徒会総会の終わりの話をするように求められましたので、わたしはさっそく

このニュースをみなさんに伝え、

「中国の若者は、中国の国の事情にふさわしい方法で、やがて、きっと理想的な政治の形を見つけて行くだろう。しかしそのためには、ちょうど今日の生徒会のような、みんなの意見を出しあって、みんなの相談でものごとを決めて行くやりかたを、子どものときから積み重ね、身につけて行くようにしなければ、その実現は難しいだろう」

といった話をしたように思います。生徒会はそのための大切な勉強の場なのです。

それからあと、まるで中国の出来事が引き金となったように、東ドイツも民主化に踏みきり、分断の象徴であったベルリンの壁がとり壊されました。ハンガリー、ポーランド、ルーマニアなど東ヨーロッパの国々でも大きな社会変革が進みました。ソ連国内でも改革が進行中だということです。

＊

話は飛ぶようですが、みなさんには仲良しの友達があるでしょうね。お気に入りのグループを持っている人もきっといるでしょう。人は一般に、子どもでも大人でも、なんらかの仲間（集団）を作り、集団に入り、集団の支持を得て生きて行こうとする傾向があります。集団に入っていると安心して生活が送れるが、反対に集団からはじき出されると不安になる。そこで、人はなるべく集団からはじき出されまいとして集団のなかにいるほかの人と調子を合わせようとします。ところで、人はそれぞれ違った才能を持っていますし、能力や考え方にも差があります。お互いに違ったところのある人間が集まっているからこそ、この世は楽しく、全体としてうまく行くともいえますが、しかし自然のままにほっておいてうまく行くかというと、そうはいきません。能力の違いがあれば不公平も生じますし、考え方の違いがあれば対立も生じます。そこで、不公平や対立を解消するための工夫をする必要が生まれます。そのさい、困ったことには、新しく集団に入った人にとって都合が悪いと思われることが、もとからいる人にとっては都合の良いことである場合がしばしばあります。どこの集団（たとえば国家）でも新しくその集団に入った人（たとえば若者）がその集団の矛盾に気づき集団のありかたを変えようと言い出します。しかし、前からその集団ですごしてきた人たちは前からのやりかたを変えたくない。こうして対立が起こります。

自分の才能や能力や考えをできるだけ出さないようにしなければ、つまり、自分を殺すようにしなければ人と調子を合わせられないような集団では困りますね。そうではなくて、一人ひとりが、できるだけせいいっぱいに自分の才能や能力を発揮し、自分の考えを人に認められて、そのうえで他の人と調和できる、そういう集団がいいわけです。しかしそんなに理想的な集団ははじめからあるわけはありませんから、集団に所属している人で力を合わせ、できるだけ理想に近づく努力をするのです。理想に近づく手続きが保証されている集団、そのための努力が行われている集団、これが私たちに居心地の良さを与えてくれる集団であり、私たちはそのような集団に所属していることを誇りに感ずることができるのです。

話が少し難しくなったでしょうか。たとえば、学校という集団を考えてみて下さい。あなたは、附属中学の生徒であることを誇りに感じていますか。入学試験のとき、あなたはきっと、あの制服を着て町を歩きたいという期待に燃えていたのではありませんか。今はどうでしょう。附属中学という集団のどこかがあなたにとってぴったりこないとすれば、そこはあなたの手で変えることができないでしょうか。

校旗と国旗と中学生

毎朝、生徒会役員の手で校庭のポールに附中校旗が掲げられるのを私は校長室からさわやかな気持ちで眺めている。

私たちは、自らの誇りや、願いや、希望や、そのほかとても名付けられそうもない複雑な感情までも、旗というものに託して生きている。考えてみれば不思議なことだ。旗とはいったい何だろう。

今年二月八日の朝日新聞の投稿短歌欄にこんな歌が載っていた。

楽の音も挙手もなくして朝まだき旗は降ろされ国は畢《おわ》んぬ　（河原武久）

国旗がポールから降ろされていく映像自体はありふれているが、この日のテレビ画面を特別の感想なしに見ることのできた人はいないだろう。ソ連邦はすでに崩壊し、演奏しようにも国歌がない。敬礼の手を挙げようにもすでにその旗は敬意を表すべき何物をもあらわしていないのだ。旧ソ連邦の中学生のことを思ってみる。彼等は今、どんなことを感じつつ日を送っているだろう。学校は変わったろうか。どんな勉強をしているだろう。想像の手掛りは何もない。ただ私自身の中学生の頃のことを重ねて考えてみるだけだ。

一九四五年（昭和二〇年）八月、敗戦を契機に日本の学校は大変革した。私はその混乱のなかで中学生になった。国語、英語、数学、理科、体育などはたしかにあった。しかし、歴史や地理は習った記憶がない。この度この原稿を書くために調べてみてわかったが、日本占領アメリカ軍総司令部は、一九四五年（昭和二〇年）一二月三一日に指令を出し、学校で日本史や地理の授業をすることを禁じている。

中学校で日本史の授業が復活したのは私が三年生になってからである。一九四五年（昭和二〇年）に小学校で習った日本史は神話から始まっていた。天皇は高天原の神の子孫であった。しかし一九四八年（昭和二三年）に中学校で教わった日本史では天皇は天皇氏という豪族の子孫であった。私はその日の授業のことをはっきりと覚えている。頭をガーンとやられたような衝撃を感じた。時代は動いたのだという実感があった。急に大人になったような気がした。おそらく当時の日本の中学生の大部分はこの種の興奮をバネにして戦後の祖国復興に力を注ぐ生き方を選んで行ったのだと思う。

旧ソ連の中学生の現在はどうだろう。考え方の大変革に出合って、ガーンとやられているのではあるまいか。祖国のたてなおしにかりたてる、ある雰囲気が彼等をつつんでいるにちがいない。自分の経験と重ね会わせ、私はそう思う。

三〇年後、彼等とそんな話をしてみたいと思いませんか。

桃花潭水　深千尺

一九九三年二月一八日に北京大学附属中学代表団に同行して島根大学附属中学に来校された北京大学の潘金生先生は、このたび、わたしに「勝譚斎」という号を贈ってくださった。いわれは、李白の詩にあるとのことである。

汪倫《おうりん》に贈る　　李白

李白、舟に乗ってまさに行かんと欲す
たちまち聞く、岸上、踏歌の声
桃花潭水、深きこと千尺
及かず、汪倫の我を送る情

贈汪倫　　李白

李白乗舟将欲行
忽聞岸上踏歌声
桃花潭水深千尺
不及汪倫送我情

わたしが舟に乗って出発しようとしていると
急に　岸辺から　惜別の歌声と舞踏の響きが聞こえて来た
我が友　汪倫が　私を見送りに来てくれたのだった
ここ桃花潭の湖は　深さが千尺もあると言うけれど
汪倫の　わたしに寄せる友情は　それよりも　もっともっと深いのだ

名勝の水郷、桃花潭に遊んだ李白がその地で親しく交わった汪倫と別れるに当って、その友情の深さをたたえた名詩である。

潘先生はこの詩の意を汲み、桃花潭を宍道湖に、汪倫をわたしに見立てたうえで、〝「潭」にも勝る深き友情を抱く我が友よ〟と呼び掛けてくださったのであろう。また、「潭」を「譚」に詠み重ねて、民譚の蒐集と研究に関心を寄せているわたしの研究姿勢を嘉《よみ》し、励まして下さっているのも嬉しい。わたしも、命名の含意を汲んで、言葉と心を広くそして深く耕すことをめざして、贈られた「勝譚斎」の名に恥じないように日々を送って行きたいと思っている。

民話を語る

中国は多民族国家です。人口の九〇パーセントは漢民族ですが他に回族、満州族、モンゴル族など五五の民族が認定されており、ほかに、まだ十分研究が進んでいなくて、どの民族に属するか認定できていない民族もあるということです。その中から、彝《イ》族と、回族の民話を、馬学良先生と李樹江先生のご著書をもとに私の言葉で語ってみましょう。私がお目にかかったときは、李樹江先生は銀川の寧夏大学回族文学研究所長、馬学長先生は北京の中央民族学院少数民族語文学系主任、でいらっしゃいました。

兄弟分家 ―― 彝《イ》族の民話

あるお百姓に兄弟二人があって、父親が亡くなった。遺産相続が行われたが、兄の方がほとんど取って、弟の方には、畑一枚と、犬が一匹、遺産として分けられた。

あくる朝、弟は畑のかたわらに立って、この一枚の畑でどうして生きて行こうかと思案していた。畑の向うに、鋤が置いてあったんだが、手もとの犬が、とっとっとっとっと走って行って、その鋤を喰わえてもどって来た。もどって来る間に、鋤で畑を耕しながらもどって来る。

「これは不思議。もう一回やってみよう」

もう一回、鋤をぽうんと向こうの方へほうり投げたら、また犬が走って行って、また、とっとっとっと、鋤で畑を耕しながらもどって来る。こうして、とうとう畑が全部耕されてしまった。

それを見ていた隣の兄が、

「これは、いい犬だ。一日おれの所へ貸してくれ」

「ああ、どうぞ、使ってください」

貸してやった。

ところが何日たってもお兄さんが犬を返してくれない。

「兄さん、兄さん。犬を返してください」

「いやあ、お前の所から借りて帰った犬はいっこうに畑を耕さんから、腹が立ったので殺して山に捨てた」

「ああ、かわいそうなことをしたなあ」

弟の方は、そこへ犬の死骸を埋めて、お墓をつくって帰った。

その後、お墓参りに何回も通っているうちに、墓の上に竹が一本生えていて、どんどん伸びて来ていることに気がついた。

「ひょっとしたらこの竹は、あの犬の生まれ代わりかもしれない」

そう思って、伸びてきた竹をなでておったら、ひらひらひらひら、落ちるものがある。見ると、お金だった。

「これはありがたい」

そのお金を持って帰った。隣の兄が、

「その金はどうしたものだ」

「犬の墓に竹が生えて来たもんで、あれをゆすっておったらお金が落ちて来た」

「それはいいことを聞いた」

兄はさっそく犬の墓へ竹をゆすりに行った。

「いまに、お金が落ちて来るぞ」

兄が目をつぶりながら竹をゆすっていると、「ひたひたひたひた」何か落ちてきて体にくっついてくる。

「しめた。お金がいっぱい落ちて来たぞ」

と思って目を開けて見たら、それは山蛭だった。（山蛭というのが木や竹の上の方におるんだそうですね。人間の肌に落ちてきて血を吸う。）

「こんちきしょう」

腹を立てて、兄はその竹を伐ってしまった。

しばらくして弟が行って見ると、犬の墓に生えていた竹が切り倒されている。

「かわいそうに。この竹はあの犬の生まれ代わりだったのに」

そこで、弟はその竹を割って、竹籠を作った。

「この籠は犬の形見だ」

と言って家の軒先に吊るしておいた。

そうしたら、その籠へ、小鳥が卵を産みに来るようになった。東の方から小鳥が飛んで来て卵を生んで飛び立って行った。西の方から小鳥が飛んで来て卵を生んで飛び立っていった。北の方から小鳥が飛んで来て卵を生んで飛び立っていった。南の方から小鳥が飛んで来て卵を生んで飛び立っていった。そうして、竹籠の中に卵が一杯になった。

「これは有り難い。町へ売りに行こう」

町へ行って、

「卵や卵。卵は要りませんか」

あちらからも、こちらからも声がかかって、卵が高く売れた。

弟がもうけて帰って来たから、兄がそれを見て、

「お前は、また、どうしてそんなにお金がもうかったか」

「兄さんが切り倒した竹で竹籠をつくって吊しておいたら、小鳥が卵を産みに来るようになって、その卵を町へ売りに行ったら、評判になって、よく売れた」

「そんなら、その籠をおれに貸してくれ」

「ああ、兄さん。どうぞどうぞ。使ってください」

で、兄は弟のところから借りて来た竹籠を軒先に吊っておいた。

なるほど、東の方から小鳥が飛んで来てやがて飛び立って行った。西の方から小鳥が飛んで来てやがて飛び立って行った。南の方から小鳥が飛んで来てやがて飛び立って行った。北の方から小鳥が飛んで来てやがて飛び立って行った。

「たくさん卵がたまったぞ」

と思って、兄が竹籠をおろして見たら、それは、みんな、小鳥の糞だった。

「こんちきしょう」

兄は腹を立てて竹籠を焼いてしまった。

何日たっても竹籠を返してくれんから、弟が、

「兄さん、兄さん。竹籠を返して下さい」

「いや、あれはお前、卵を生むなんてうそばっかり。東から小鳥が飛んで来て糞をひって翔《た》って行った。西から小鳥が飛んで来て糞をひって翔《た》って行った。南から小鳥が飛んで来て糞をひって翔《た》って行った。北から小鳥が飛んで来て糞をひって翔《た》って行った。腹が立ったから燃やしてしまった」

「それはかわいそうなことをした。あれは犬の形見だったのに」

行って見ると、たしかに燃えかすの灰があった。

「ああ、お前は、とうとう灰になってしまったか」

見ると灰の中に、豆がたくさんあって、炒り豆ができていた。

そこでその炒り豆を拾って帰って、食べた。

そうしたら、屁が出た。豆を食べたものですから。

ところが、その屁が、いい香りがする。

「これは、ひとつ、町へ売りに出よう」

「屁は要《い》らんか、屁は要らんか。香り屁は要りませんか」

言って、売り歩いたというんですね。

「何だか、珍しいことを言って歩くやつがおる」

「お前、何を言ってる」

「いや、わしの屁はいい香りがする」

「ほんならひとつ、放《ひ》ってみい。幾らだ」

「一発、一文でございます」

「ほんなら一文やるから、放ってみい」

で、一ぱつ、「ぶうっ」とやったら、なんと、部屋中にいい香りがたちこめたというんですねえ。

これで評判になって、

「うちでも放ってくれ」

「うちでも放ってくれ」

とうとうお殿様に聞こえて御殿に呼ばれた。

「ここで一発、放ってみい」

なるほど。放ったら、御殿中がいい香りで充ちあふれた。それで殿様からたくさん褒美をもらった。

また、隣の兄がこれを見て、

「その褒美はどうしたものだ」

「兄さんが竹籠を焼いた灰の中に豆があって、それを食べたら香り屁が出るようになって、それを町へ売りに出たら、殿様に呼ばれて、褒美をもらった」

「ほう、そりゃあいいこと聞いた」

兄も灰のところへ行って見たら、何粒か豆が残っておったので、さっそくそれを食べた。

「よし。これから屁を売りに行こう」

町へ行って、

「屁は要らんか、屁は要らんか。香り屁は要りませんか。」

言いながら歩いて行くと、

「ああ、このあいだの屁売りが、また来た。一番はじめの、香りのいいやつはお殿様にさしあげるがいい」

というので、まっさきに殿様のところへ行った。

「このあいだの屁売りがまた参りました」

「おお、また来たか。近う、近う。放ってくれ」

「はい」

はりきって放った。

「ぼわあん」とやったんだけれども、今度はものすごく臭くて、お殿様も家来も困ってしまった。腹を立てた殿様が、

「この無礼者が」

って言って、尻を切ってしまった、と。


（馬学良著『撒尼《サニ》・彝《イ》語研究』による）

阿当《アダン》火種を探す——回族の民話

昔、人々は火を使うことを知らなかったのだそうです。冷たいものを食べ、冷たい水を飲んで暮らしていました。

あるとき火山が爆発して、山が真っ赤に燃えた。そのとき、動物たちが焼け死んだので、人々は初めて火で焼けた動物を食べたのだそうです。とてもおいしかったので、むさぼり食った。ところが、残念なことに人々は火種を保存する方法を知らなかったので、食べ尽くしてしまったらふたたび、冷たい食べ物と冷たい水の暮らしに戻ってしまいました。しかし人々は火のある生活が忘れられない。

「誰か火種を探して来るものはおらんか」

この困難な使命を担うために、阿当《アダン》という名の青年が選ばれた。

阿当《アダン》は、火種を探し当てるまでは絶対に家に帰らない、という決心で火種探しの旅に出ました。七十七の山を越え、七十七の森を越え、七十七の川を越えて探したけれども、火種はどこにあるかわからない。疲れはてて草むらに寝転んでいると、燕が飛んで来た。

「そうだ。燕は鳥の中で、最も遠いところまで飛んで行くと聞いている。燕に聞いてみよう。

『燕よ、燕。火種がどこにあるか教えておくれ』」

「それは、教えてあげてもいいが、条件がある」

「どんな条件でも聞くから教えておくれ」

「それなら、あなたが無事に火種を持って帰ってきたら、あなたの家の軒先に私たちが巣をかけることを許してもらいたい」

「それはおやすい御用だ。いくらでもおまえたちに巣をかけさせてやるから、教えておくれ」

「ただし、私たちの子どもは、うんこもするし、おしっこもするが、それでもいいかい」

「もちろんさ」

こういうわけで、燕が火種のありかを教えてくれた。

「ずうっと西の方に行ってごらん。地の果て、天の果てに火焰山《かえんざん》という山があって火が燃えている。ただし、あなたの足ではとても行き着くことがかなわない。西に行くと野馬がいるから、野馬に頼んで連れて行ってもらいなさい」

阿当《アダン》は喜び勇んで西へ向かって行きました。西に行くと野馬がいました。

「『野馬よ、野馬。私を火焔山まで連れて行っておくれ』」

「それは、連れて行ってあげてもいいが、条件がある」

「どんな条件でも聞くから連れて行っておくれ」

「それなら、あなたが無事火種を持って帰って来たら、あなたの家に馬小屋を作っておくれ。そして私たちを生涯養ってもらいたい」

「それはおやすい御用だ。いくらでもおまえたちに馬小屋を作ってやるから連れて行っておくれ」

こういう約束で阿当《アダン》は野馬の背中に乗って西に行く。

そうして火焔山のふもとに着いた。火焔山の前には川が流れており、川はふつふつと煮えたぎっていた。そこに何百種類という魚が浮いていたそうです。阿当《アダン》がそれを食べたらとてもおいしかった。あまりにおいしくて阿当《アダン》は火種を探すことを忘れそうになったほどでした。野馬が言いました。

「あなたの目的は何でした」

「あっ、そうだ。火種！しかし、この川の流れは熱く煮えていて、とても渡れやしない」

「渡る方法が一つあります。私が教えてあげましょう。」

そう言って野馬が教えてくれた方法はこうです。

川のほとりにほら穴があって、そこに雷様の斧がある。（日本の雷様は太鼓を持っていますが、回族の雷様は斧を持っているのだそうです）。まず、その斧を取って来るのだと言う。ただしこれは龍が厳重に見張っているから、あなたが普通に入ったのでは龍に食われてしまう。

「それでは、どうしたらいいだろう」

「ほら穴をちらっとのぞいて、龍をおびき出すのです。そうしてあなたは逃げる。龍が追って来るでしょう。そしたらあなたはぐるぐる輪を描いて逃げる。龍がぐるぐる丸く追い掛けると、龍は尻尾がからだに巻き付いて動けなくなる。そのすきにあなたは斧を取って来る」

阿当《アダン》がその通りにすると、うまく龍が計略に引っ掛かった。龍のからだがもつれて動けなくなったすきに、阿当《アダン》はほら穴に飛び込んで雷様の斧を取ってきた。

さて阿当《アダン》はその斧をふりおろして、

「えいっ」

たちまち川は石畳の道に変わった。ほんの短い間。その間に阿当《アダン》はその道を通って火種を手に入れて戻ってきた。

こうして人々は火を手に入れることができたのです。

軒先には燕が巣を作り、馬小屋には馬がいる。

めでたしめでたし。

（李樹江編『回族民間故事集』による）

あとがきにかえて

一九九七年三月、中国吉林教育出版社から拙著『冷たい頭、熱い胸……中学生と語る』の中国語訳『冷静的頭脳、火熱的胸膛……与中学生対話』が刊行された。北京大学での私の授業に出席していた学生、王暁霞さん他が下訳をし、潘金生教授が全体を整備して下さったものである。同書に添えられた跋文を訳出して付載する。（日本語への翻訳は当時島根大学留学生であった胡軍さんに依頼した）

思い出

王暁霞

一九七八年七月から一九七九年八月までの一年間、田中先生は日本の「専家」として、北京大学の東方学部へ来られ、日本語を教えて下さった。私たち七五年入学の学生は幸いにも田中先生に教えていただくことになった。田中先生は私たちのクラスの「日本語精読」の科目を担当された。わずか一学期であったが、この短い学期の間に、私たちと田中先生との間は深い師弟の感情で結ばれることになり、クラスのみんなに深く、良い印象を残した。十数年が経ったが、今日に至るまで、同級生が集まって、大学時代の張り詰めていて充実感のあった生活を思い出す度に、決まって、田中先生の真面目な教育への取り組みや、物事をいいかげんにしない態度、懇切丁寧な人づきあい、誠実な話しぶりや笑顔といった事柄がよく私たちの話題になり、私たちの思い出が楽しい雰囲気に包まれるのである。大学を卒業してから、私たちの大多数は田中先生に再会する機会がないままだが、田中瑩一先生に教えていただいたあのすばらしい時間は依然として私たちの記憶の中に深く残っていて、忘れられるものではない。

田中先生は北京大学に来られてから、私たちが早く田中先生の教育方法になれるように、緊張しないように、又中国の学生の学習の状況とその困難点を把握するために、いつも授業の休み時間を利用して、私たちと雑談して下さった。そのユーモアに満ちたくだけた話しぶりは私たちの会話の雰囲気を活発にし、いつのまにか私たちとの距離をなくしてしまった。先生は私たちとの話し合いの機会を利用して私たちの学生生活や一人一人の学習の状況を理解されたのである。私たちに日本の社会やその他のことをいっそうよく理解させるために、先生はいつも日本の社会のさまざまな情況を私たちに紹介して、私たちが日本を理解するための教材を提供して下さった。先生は優しくて近付きやすく、私たち学生と溶け合っておられた。だから、授業の休み時間になるといつもたくさんの学生が先生を取り巻いて、次々といろいろな質問をした。先生はいつも大笑いしながら面倒がらず、辛抱強く答えて下さった。こうして、私たちは質問をするうちに自然に知識を得ることができたし、又、先生の人柄を理解し、先生と学生との間の溝がなくなっていったのである。

田中先生は豊かな教育の経験と技術を持っておられた。私たちに教える時に、先生はいつも段取りをよく考え、深い内容をやさしい問いの形で示して下さった。私たちがよく分からない問題にぶつかった時には、先生は繰り返し角度を変えて分かるまで説明して下さった。田中先生の教育態度は非常に真面目で、決していい加減にお茶を濁したりせず、授業の準備も入念で、どんな難しい問題も放ってはおかれなかった。私たちが習う文章の内容や主題、さらには段落と段落との間の関係等の理解を助けるために、田中先生は頭を捻り、工夫に時間を費やして下さった。ある時、こんなことがあった。田中先生は意外にも、私たちがまもなく習うことになっていたある文章を先生が御自身で丁寧に長く貼り合わせられた大きな紙に一字一字全部きちんと書き写し、更に段落ごとに扇子の形に折り畳んで、一つの段落を分析したら次の段落を開くようにしておられた。こうすることで、私たちに一つ一つの段落をはっきり理解させるばかりでなく、各段落の間の関係についても非常にはっきりと理解させる助けとなった。田中先生の仕事への取り組みに敬服しない者はいなかった。先生の教育への情熱、豊かな教育経験、真剣な授業態度は今も私たち自身がその持場で仕事に励むうえで励ましとなっている。

田中先生の熱情と穏やかさと学生を気づかう高尚な品性に感銘を受けない人はいなかった。先生が北京大学に勤めておられた間のある休暇期間にこんな思い出がある。先生は一部の学生が家が遠いため、家庭団欒に帰れないことを知ると、学校に残っている学生を自分の家に招いて、たくさんの果物やお菓子を用意して、皆と一緒にゲームをしたり歌を歌ったりして、真摯な師弟の情に満ちた中日友交の雰囲気の中で、忘れられない楽しい一日を送ったことである。田中先生は中国で教員を勤める間このようにするだけではなく、日本に帰ってからも教えていただいた私たちのその後について非常に関心を払ってくださった。八〇年代の初めにこんな記憶がある。私たちのクラスの幾人かの同窓が研修や出張で日本へ行った。先生は消息を知ると必ず忙しい仕事の合間に連絡をとって、世話をして下さった。例えば八一年に同窓の李桂蘭が日本に行った時、田中先生の家は遠い島根県松江市であるのに、わざわざ東京へ訪問に行き、李桂蘭が帰国する時には北京の学生に手の込んだおみやげを用意し、彼女に託して下さった。田中先生の心のこもったおみやげを手にして、私たちは非常に感動した。この気持ちはとても言葉では言い表すことができない。（話によると、日本に研修に行かれた研究室の先生方も田中先生から、手厚い親切をうけておられるということである。東京に訪問に来たり、松江へ招待したり、あちこちの名勝古跡の観光に同行するなど）。

田中先生は北京大学在任の一年間に、中国への理解を深め、中日両国の交流と友誼を増進し、中国の学生の日本語のレベルを高めるために、私たちの尊敬してやまない多くの仕事をなさった。今日、先生の教えを受けた学生達は中国のいろいろな地方の、いろいろな部門で活躍しており、中日両国の理解を強め、両国の友誼を高めるために努力している。私たちは田中先生の深い教えに対して心から感謝している。

ここに、田中先生の定年退官に際して、心からお祝いを申し上げる。

『冷たい頭、熱い胸　……中学生と語る』翻訳後記

潘金生

田中先生（一九三四年生）は若い頃日本の島根大学教育学部を卒業された。現在は島根大学の教育学部の教授であり、日本の全国大学国語教育学会の理事、表現学会の監事を兼任されている。その間、一九八九年から一九九三年まで、田中先生は島根大学教育学部附属中学校の校長も併任されたことがある。長年来、先生は国語教育と民話の研究に従事されている。研究熱心で、絶えず論文を発表し、すばらしい業績を残しておられる。「表現開発の国語科授業」、「ふるさとの田植え歌」、「奥出雲昔話集」、「民話の表現」等の著作がある。

田中瑩一先生は一九七八年七月から一九七九年八月まで日本の「専家」として招きに応じて北京大学東方語言文学部（現東方学部）へ来られ、日本語を教えて下さった。この間に私はちょうど研究室の主任をしていたので、教育研究上でも生活上でも先生と接することが多かった。先生はこのわずか一年の間に私たちに深い印象とすばらしい思い出を残して下さった。

田中先生は教育熱心であり、学生達に親切、職務に誠実であった。先生の教材研究は綿密丁寧で、授業は簡潔、明瞭、啓発的に指導をして下さった。普段から先生は学生に対して厳しかったが、指導は熱心であった。時には学生達と天壇や頤和園等に出かけて、「会話活動」をしながら、観光をするなど、中国の学生が日本語のレベルを高めるように、行きとどいた心配りをしてくださった。当時、私もよくおじゃまして、教えを請うたものである。特に私の日本古典の勉強に関してはいろいろな面でご援助とご指導をいただいた。先生は帰国後も熱心に激励して下さり、又、たくさんの貴重な学習資料を送って下さった。すでに、もう十六、七年経つというのに、この事を思い出す度に、感謝の気持ちが自然にわき起こって来る。

田中先生は我国の古い文化及び名勝古跡に大変興味を持ち、昆明・南京・揚州・杭州・紹興など有名な都市も訪問された。それだけではなく、我国の社会主義の教育事業に、特に小中学校の教育の発展に大きな熱情を寄せて下さった。先生はよく勉強され、日本の国語教育との比較研究を進め、帰国後論文で紹介してくださった。例えば「最近の中国の国語教科書（小学校一年生）」などがある。そのあと一九九三年二月、先生は附属中学校長時代に、北京大学附属中学校代表団を日本に招いて、交流し、「日本国島根大学教育学部附属中学校と中華人民共和国北京大学附属中学校との間の交流協定」を締結し、中日両国の中学校教育の交流と発展のために貢献して下さった。

今皆さんが読んでいるのは田中先生の附属中学校長時代に発表された講話と随想を集めたものである。この本は内容が豊かで、話題が広く、どれも身近なことでありながら奥の深い、あるいは、又、考えさせられるところの多い、味わい深い短文や講話である。あるいは、物語によせて道理を諭し、なかなか啓発的な民話や古典なども含まれている。両国は国情が異なり、事物を観る視点や方法も全部が全部同じとは言えないけれども、私はこの本は私たちが日本の中学校教育や中学生の心理、価値観あるいは親や教師が学生達に期待することなどを理解するうえできっと参考となるものと思う。

付録1の「志賀直哉の小説における二つの創作方法」は、もと一九七九年五月に北京大学東方学部日本語専攻の「五四科学討論会」において発表された学術講演であった。そのあとその原稿の一部に手を入れ、補足して成ったものである。これは「母の死と新しい母」と「母の死と足袋の記憶」という二つの小説及びその関連資料の分析と比較を基礎にして、作者志賀直哉がこの二つの小説の中で違う創作方法を用いているという見解を示して下さっている。すなわち前者は「展開的創作方法」、後者は「構成的創作方法」である。更に進んで、両者の関係と意味を論述して下さっている。この論文は資料が詳細で確実であり、分析が精確妥当、文脈がはっきりしており、読者に独自の発見をもたらし、志賀直哉の小説の創作方法について研究する上で啓発されることが大きい。

付録2「思い出」は田中先生に教えを受けた期間に結んだ中日友好の友情に満ちた師弟関係をとても真摯な気持ちで記述したものである。この文は七五年生の王暁霞が一人で書いたが、これは同時にほかの学生の先生への思いと、心からの祝福の気持ちを表わしたものだと思う。

田中先生は来年（一九九七年）の三月で定年を迎えられ、数十年間にわたって、熱心に勤められた教師生涯を離れられる予定である。一部の七五級生がこの事を知って、彼等も私が行っているこの本の翻訳の仕事に加わって、田中先生の定年のお祝いの気持ちを表したいと言ってきた。この本は日本の「勝譚斎」から一九九三年に出版された『冷たい頭、熱い胸……―中学生と語る―』をもとに訳出したものである。中国語版の序文、前言、（五）（六）の中の1、2と6～12、「あとがきにかえて」、「謝辞」などは王暁霞が翻訳を担当した。（一）と（二）は周蓮・石軍、（三）は李桂蘭、（四）は辛均平、（六）の中の3は燕林、（六）の中の4、5は揚文総が担当した。（七）と（八）及び附録1は潘金生が担当した。そのあと潘金生の責任で全面的に手を入れた。脚注はすべて訳者が加えた。時間が少なく、力不足で、間違ったところもあるかも知れないが、ご叱正を請う次第である。出版の前にこの本のために、書き写しや、編集、校正に力を注いだ王暁霞さんに、又出版にあたってたいへんなご協力を賜った編集者の張岩峰さんに謝意を表する。

上に述べたように、田中瑩一先生は来年の三月で定年を迎えられ、熱心に勤められた教師生涯を離れられる。遠く大海に隔てられているが、私たちはここでこの本を出版することで先生に心からお祝いを申し上げます。そして、先生が中日両国の教育事業の交流と発展のために更に新しい貢献をされることを期待しております。

これを以って、後記とする。

一九九六年五月　潘金生　北京大学にて

潘金生先生を偲ぶ

潘金生先生は二〇二〇年四月一一日、病のため北京で亡くなられた。淋しい。享年八十八。私の一歳年長で、私がもっとも親しくそして深く交流するところのあった異国の畏友であった。私は潘先生が亡くなられたことを今年の一〇月一九日まで知らなかった。この回想記をとりまとめている間も潘先生は、折々に私のパソコンの画面の奥から様子を見に来られて、あの時はああだったねえ、とか、あの時あんなことがあったではないですか、などと、声を掛けて下さっていたので、まさかご病気であったとは思いもかけず、まとまったら真っ先に見ていただいて、共有の記憶を語り合うことを楽しみにしていた。もうかなわない。

北京大学外国語学院は、四月一三日、ホームページで潘先生の訃を報じ、ご経歴とご業績を掲載して、

「我們深切緬懐潘先生。潘金生先生千古！」

と結んでいる。訃告文から一部を摘録しておきたい。（字体は日本で通行のものに改めた）

潘金生先生訃告

潘金生先生、一九三三年八月二八日生于浙江寧波。一九五六年七月卒業于上海复旦中学。一九六〇年五月提前卒業于北京大学東方語言文学系日語専業、后留校任教、同年加入中国共産党。二〇二〇年三月退休。

潘金生先生主要業事日本古代文学、日本文言語法、日本古典作品閲読与鑑賞的教学和研究工作。著述主要有合編著『日本近現代文学閲読与鑑賞（上下）』（一九九三）、『日本近代文言文選』（一九九三）、『東方文学史（上下）』（一九九五）、『日本古典文学読本』（二〇〇二）等。退休后、仍筆耕不輟、編著『日本文言助動詞用法例釈』（二〇一四）、合編著『日本古代文言作品選』（二〇一八）、等、為中国的日語教学与研究事業做出了重要貢献。

潘金生先生的去世是北京大学外国語学院日語系的重大損失、也是我国日語教学与研究界的重大損失。

我們深切緬懐潘先生。潘金生先生千古！

私のアルバムに、潘先生と私と私の妻と、三人並んで写っている写真が二葉ある。一葉の写真では潘先生はカメラに向かってまぶしそうにほほえんでおられる。背景に緑の柳が見える。

一九七八年の夏、私の北京大学での任期が終わって帰国するにあたり、私たち二人を中国南方の旅行に案内してくださったときのスナップである。別に「無錫湖濱飯店」と印字のある朱罫のホテル用箋に記された先生自筆の二篇の詩稿をいただいており、その内容と照合すると、おそらく太湖の湖畔で撮影したものであろう。八月六日の日記に私は次のように記している。

八時出発。出発前に潘先生が昨夜の詩を推敲したからと、別葉に清書して持って来られた。

如夢令

游太湖

湖光、山色、波濤、
景色宜人獨好
錫城盛栽桜花、
世代根深葉茂。
厳師益友、

惜別情深今朝

呈　田中先生斧正　　　　　　　　　　潘金生

如夢令

游无錫〝太湖公園〟

樓台、湖光、山色、

雄偉 秀麗 絶妙

黿頭橋畔桜花、

亭々根深葉茂。

候君重遊、

四月艶陽登高。

呈　田中先生斧正　　　　　　　　　　潘金生　八月五日

「惜別」にとどまることを惜しみ、「重遊」再会への期待をあらためて伝えようと「推敲」という形に託して二篇を重ねられたのかも知れない。心にしみる。

元の詩篇にあった「宜人獨好」「世代根深」などの詩句が遠景に退いたことで、私の回想のなかの潘先生像はいっそう鮮やかになっている。その朝の私が、先生の意をそのように汲んでお礼の言葉をお伝えすることができていたかどうか、そんなことがあらためて気にかかる。

もう一葉は、和室に正座し、ややはにかんだように右下に視線を落としておられる。前髪に白いものが見える。私は潘先生と肩を組んで写真に収まっている。

一九八五年に来日された折、拙宅に一泊していただいたことがあった。

……突然初対面の折の映像がそこに被さってくる。

一九七八年七月二一日、一九時三〇分、中国民航のボーイング七〇七型機が北京空港に着陸。タラップを降りてゆくとき、私は、上海空港から同乗した華僑の人たちの団体旅行の列の最後尾に続いていたので、パスポートも所持品検査もなしにいきなり潘先生ほか北京大学の関係者の方々の待ってくださっていたロビーに出てしまった。あらためて入関手続きに付き添っていただいたのがお世話のかけ始めであった。

大学へ向かう車中では、後部左、運転手背後の席に私、中央に東方語言学部革命委員会主任張展英氏、右に外人専家局の何発桂氏。機中のこと、天候のこと、日本事情のこと……休みなく話しかけてこられる何氏の中国語を、運転席右に座られた潘先生が、振り向きつつゆったりとした口調の日本語に通訳してくださった。話題が私の出生地に及んだとき、

「松江は確か小泉八雲が教鞭を執ったところでしたね」と言われた。

「そうです、そうです。八雲の旧居からお城の堀沿いに二〇〇メートルばかり、松江市北堀町三三九番地で私は生まれたと両親から聞いています」

「志賀直哉もたしか松江の堀ばた……」

私は先生の博識に驚いた。先生は一九六〇年に北京大学をご卒業になっているが、以来日中間の往来は自由でなかった。

「いやあ、書物からの知識ですから……」

と先生ははにかんだ口調で受けられた。

あの温顔は今、私のアルバムに残るのみである。

もう一度、先生と、あの、ほほえみに満ちた日本語で、会話を交わしたい。

跋（謝辞）

『北京瞥見』という書名はハーンの『日本瞥見記』（Glimpses of Unfamiliar Japan）への畏敬に負うている。ハーンは序に、「その国の美徳を代表している庶民（the great common people)」の暮らしに「どっぷりとつかって生活してみれば、世界にほとんど知られていない（Unfamiliar）日本人の「内なる生（innerlife）」をよく理解することができるだろう」との主旨を述べていた（引用は池田雅之氏の訳文による）。わたしが暮らしたころの中国も、世界に向かって必ずしも開示的でなかった（Unfamiliar）し、「革命の時代と市場経済の時代の交替期、というより革命がまだ市場経済に抵抗しつつあり、中国の人々はその両方から、両手を片方ずつひっぱられ、思想的にどうすべきか判断のつかないままとにかく行動せざるを得ない困惑の時期にあって」（当時北京在住であった旧知の岩佐昌暲氏からの私信による）、人々の「内なる生」にもUnfamiliarな葛藤が多くあったに違いない。が、現地でわたしが比較的親しく交流することのできたのは、「庶民」というよりは「学生」や「子どもたち」であって、彼らの「内なる生」

は決してUnfamiliarではなく、私たちもまたよく知っており（Familiar）、そして傲慢にも忘れかけていたかも知れない、人としての基盤を率直な形で表現するものであった。

本書は、一九七八年～一九七九年という、中国にとって、ある意味、萌芽的で、未決定な環境と言ってもよかったかも知れない時期に、特定の時代的背景を背負う彼らと日常のある時間を共有しながらわたしが体感した「中国の人々の内なる生」をめぐって書きつづっていた記録の一部をまとめてみたものである。

この、ほとんど半世紀も以前の散漫な印象記が一書をなすについてはここにお名前を記して謝意を表すことができなかったが、多くの方々のお力添えをいただいている。ことに書中に言及した中国事情の背景や文化・文物の特質、さらには用語の表記等に至るまで懇切に手引きをしてくださった前記岩佐昌暲氏には御礼の言葉もない。ありがとうございました。

二〇二三年六月一日　　　著者

初出書誌覚え書き

Ⅰ 北京大学日本語科の学生たち…（「山陰中央新報」・一九七九年一二月六、八、一〇、一三日）

Ⅱ 北京市「紅民村」の子どもたち…（「島根大学教育学部紀要（人文・社会科学）」第一四巻一九八〇年一二月＝原題『北京における子供の伝承遊び』）

Ⅲ 北京通信抄…「ある教師の暮らし―雑誌「人民教育」のルポを読む」（「島根大教育学部同窓会誌」No.31・一九七九年一二月）、「辺境の「下放青年」たち―雲南省思茅・西双版納」（「島根大学教育学部同窓会誌」No.30・一九七八年一二月）、「魯迅の「故郷」を訪ねて―浙江省紹興」（「教室の窓　東書中学国語」233号・一九八〇年二月）―他は本書が初出

Ⅳ 北京日録抄…初出

Ⅴ 北京回顧摘録…「中学生と語る」（『冷たい頭、熱い胸…―中学生と語る』勝譚斎刊一九九三年三月）

―他は本書が初出

一九七八～一九七九年

北京瞥見（ぺきんべっけん）

二〇二三年　八月十二日　初版第一刷発行

著　者　田中 瑩一（たなか えいいち）

一九三四年松江市生まれ．島根大学教育学部卒．国語科教育専攻．島根大学教授．広島文教女子大学教授を経て島根大学名誉教授．一九七八年～一九七九年北京大学日語専家．

発行者　尾方敏裕　発行所　株式会社 好文出版

東京都新宿区早稲田鶴巻町五四〇　林ビル三階　郵便番号 一六二－〇〇四一

電話〇三－五二七三－二七三九　FAX.〇三－五二七三－二七四〇

印刷製本　小澤製本株式会社

ISBN 978-4-87220-235-9　Printed in Japan